ROBERT BESSON

Professeur agrégé d'E.N.N.A.

GUIDE PRATIQUE DE LA COMMUNICATION écrite

Toutes classes des Lycées Professionnels et Collèges
Cours de Formation et de Promotion
Formation autodidacte

Éditions CASTEILLA, 25, rue Monge, 75005 PARIS

AVANT-PROPOS

Cet ouvrage est né d'une pratique et d'une réflexion pédagogique. Tout en gardant le caractère concret et la clarté d'un « guide » utilisable par tous, il s'est efforcé sur chacun des points abordés d'apporter des indications précises, des exemples abondants, des méthodes de travail et des « pistes » d'entraînement jalonnées de nombreux exercices.

● L'enseignement du français est apprentissage de la communication et de l'expression. Il s'agit donc d'abord de créer des situations, fictives ou réelles, qui suscitent **le désir de s'exprimer** et même **le besoin de mieux s'exprimer** afin d'être mieux compris. Aussi avons-nous privilégié les exercices « motivants » les activités et les recherches ouvertes sur notre temps, qui soutiennent l'expression en mobilisant l'intérêt et en opérant une large circulation du langage dans la classe. Nous avons tenté de lier l'expression à la démarche de découverte et d'analyse du réel. On comprendra ainsi la place donnée à la presse, à la publicité, à la télévision, à l'image, aux réalités sociales, économiques et humaines les plus proches de nos élèves. C'est aussi leur fournir « *les moyens de se situer dans le monde d'aujourd'hui et d'en dominer la complexité* » (Texte d'orientation). Mais s'il est nécessaire de « débloquer » d'abord l'expression spontanée, il faut inciter ensuite à la dépasser par un travail sur le langage qui soit effort pour mieux communiquer sa pensée. Il s'agit de passer du silence à la parole libérée, de la parole libérée à la parole maîtrisée.

Enfin, on remarquera peut-être la diversité des procédures pédagogiques que nous proposons, privilégiant tour à tour le *travail individuel* (Indispensable, croyons-nous), *le travail par petits groupes* (stimulant et socialement formateur), *le travail collectif* (dans lequel l'ensemble-classe retrouve sa dynamique). Sans doute cette fluidité et cette mobilité des réseaux de communication peut-elle multiplier les chances d'expression de chacun.

• Aux adultes engagés, à un degré ou à un autre, dans la formation continue, les six premières parties seront les plus utiles. S'ils éprouvent le besoin de revenir aux données les plus fondamentales de la langue pour mieux les assimiler, ils se reporteront avec profit à l'ouvrage complémentaire de celui-ci, paru chez le même éditeur et intitulé **« guide pratique de rédaction »**.

I.S.B.N. : 2-7135-1176-3

TABLE DES MATIÈRES

5e partie :

COMMENT RÉPONDRE A DES QUESTIONS SUR UN TEXTE

(« commentaire » de texte)

6e partie :

COMMENT RÉSUMER UN TEXTE

7e partie :

DES ITINÉRAIRES POUR S'EXERCER AU RÉCIT

(récit - description - portrait)

8e partie :

ENQUÊTES, TRAVAUX ET RECHERCHES

1re partie

COMMENT MIEUX S'EXPRIMER PAR ÉCRIT

MAÎTRISER LA CONSTRUCTION DE LA PHRASE*

I. — Construire la phrase élémentaire

Nous commençons par des exercices très simples. S'ils le sont trop pour vous, passez aux suivants.

(1) Les phrases éclatées

Rétablissez la phrase correspondant à chacune des séries suivantes :

1 : qui ne respectent pas le code de la route - jusqu'au retrait du permis de conduire - sévèrement - par les autorités compétentes - les automobilistes - et les sanctions pourront aller - seront punis.
2 : qui montait - salua - de triomphe - le vainqueur - sur le podium - une immense clameur.
3 : dans une posture d'attaque - à crinière noire - un énorme lion - sous un palmier - se tenait.
4 : ses documents - avec soin - de les classer - pour conserver - il est nécessaire - et pouvoir les consulter.

(2) Les phrases à compléter

Ajoutez un ou plusieurs mots à la place des points pour que chacune des séries suivantes forme une phrase complète :

1 : Deux cyclistes ... sur la route qui ...
2 : Soudain ... et chacun s'enfuit...
3 : Les journaux du matin ... la stupéfiante nouvelle avant que ...
4 : Les médecins ... depuis deux jours et ils ...

(3) Les groupes à combiner

En prenant chaque fois un groupe de mots dans chaque colonne, constituez le maximum de phrases.
Exemple : Les espions utilisaient un code secret pour correspondre

GROUPE NOMINAL	GROUPE VERBAL (à accorder)	GROUPE MOBILE
Les espions - Le cheval-fourbu - La tempête - Astérix et Obélix - Un groupe de jeunes chanteurs français - Le Conseil des ministres - Le mauvais temps - Les policiers.	effectuer une tournée triomphale - recouvrir l'Europe - rechercher les auteurs du hold-up - utiliser un code secret - faire rage - prendre des mesures urgentes - partir à l'aventure - s'effondrer.	hier matin - dans la région de Nancy - au milieu de la chaussée - en Méditerranée - progressivement - pour enrayer le chômage - à travers la forêt - pour correspondre - aux Etats-Unis.

(4) Les titres de journaux

1 : Lisez chacun des groupes nominaux suivants qui constitue un titre de journal et transformez-le en phrase verbale.
Exemple : *Tempête en Manche → Une tempête fait rage en Manche.*

* **Corrigé pages 165 et 166.**

Demain, conférence à l'Elysée - Camion contre voiture : deux morts - Tchad : nouveaux combats très violents - Epidémie dans un hôpital parisien - Reprise des négociations entre syndicats et patronat - Mauvais temps sur toute la France.

2 : Apportez dans chacune des phrases que vous avez précédemment rédigées deux informations supplémentaires. (Proposez plusieurs versions.)
Exemple :
Une terrible *tempête fait rage en Manche* depuis hier.
La tempête qui a éclaté hier *fait rage en Manche* où la navigation est perturbée.

II. — Donner à chaque phrase l'expansion et la précision nécessaires

(5) Le personnage mystérieux

Vous en connaissez certainement un (ami, parent, inconnu) qui présente un aspect un peu étrange.
1 : Réunissez cinq éléments d'information sur lui et présentez chacun en une phrase.
Exemple : *Il porte un chapeau rabattu sur les yeux. Il marche en jetant des regards inquiets à droite et à gauche. Il avance en rasant les murs...*

2 : Choisissez trois de ces informations et cherchez les différentes constructions qui peuvent vous permettre de les intégrer dans la même phrase.
Exemple
— *Chapeau rabattu sur les yeux, rasant les murs, il avance en jetant des regards inquiets à droite et à gauche.*
— *Cet homme qui avance en rasant les murs et jette des regards inquiets à droite et à gauche porte un chapeau rabattu sur les yeux... etc.*

(6) Une idée, plusieurs constructions possibles

Comme dans l'exemple donné, essayez de fondre en une seule phrase les idées exprimées dans chaque série et proposez, chaque fois, plusieurs constructions possibles. (Apportez toutes les modifications nécessaires.)

Exemple :
La machine libère, en partie, l'homme du travail. Il bénéficie de loisirs plus importants. Il peut se divertir ou se cultiver.
— 1re version possible : *En partie libéré du travail par la machine, l'homme bénéficie de loisirs plus importants qu'il peut consacrer à se divertir ou à se cultiver.*
— 2e version possible : *Grâce à la machine qui le libère, en partie, du travail, l'homme peut mettre à profit les loisirs dont il bénéficie pour se divertir ou se cultiver...* etc.

☐ **Séries**

1 : L'ambassadeur anglais demanda au gouvernement allemand d'évacuer la Pologne. L'Allemagne refusa. L'ambassadeur français fit à son tour une démarche semblable.
2 : Les chercheurs étudient le cancer depuis des années. Ils viennent d'identifier les corpuscules qui entraînent cette maladie. On peut espérer pour bientôt un progrès dans la thérapeutique.
3 : Le prix du pétrole ne cesse de monter. Ceci se répercute sur le coût de tous les produits transportés. Il en résulte une crise économique grave en Occident. Chaque gouvernement recherche des solutions.

(7) L'expansion dans l'équilibre

Dans chacune des phrases ci-dessous, intégrez les éléments notés entre parenthèses. Vous pourrez proposer chaque fois plusieurs constructions possibles dont vous apprécierez l'équilibre et la clarté.

1 : Deux jeunes gens ont fait le tour du monde (malgré de multiples difficultés - en auto-stop - pendant un an - afin de mener une enquête sur les conditions de travail des lycéens).
2 : La statue de la Liberté s'élève (œuvre du sculpteur français Bartholdi - gigantesque - tournée vers le large - à l'entrée du port de New York).
3 : La médecine accomplit des progrès (sans cesse - pour le bonheur des hommes - malgré son impuissance devant certains maux).
4 : Les délégués des deux pays belligérants se réunirent (à deux reprises - dans le plus grand secret - sous la pression des grandes puissances).
5 : L'avocat plaida (sans une note - pendant plus d'une heure - avec une conviction qui ébranla le jury).

III. — Passer aisément d'une construction à une autre

(8) Passez de l'affirmation à la négation comme dans l'exemple donné.

Exemple : *Il est grand et fort* — *Il n'est pas grand ni fort.*
— *Il n'est ni grand ni fort.*

1 : Sa voix était amicale et courtoise.
2 : Il avait droit au gîte et au couvert.
3 : Il avait visité le Mexique et le Brésil.
4 : Cette contrée est humide et triste.

(9) Même exercice, conforme à l'exemple donné.

Exemple : *Il s'exprimait avec chaleur et conviction* — *Il s'exprimait sans chaleur ni conviction* — *Il s'exprimait sans chaleur et sans conviction.*
1 : Notre ami rédige avec élégance et clarté.
2 : Il travaillait avec énergie et persévérance.

(10) Comme dans l'exemple donné, cherchez sous quelles formes différentes vous pourriez formuler la même question.

Exemple : *Qui vous a fourni ces renseignements ?* — *De qui tenez-vous ces renseignements ?* — *Quelle est la source de vos renseignements ?* — Où avez-vous obtenu ces renseignements ?... etc.
1 : Que dites-vous des événements ?
2 : Assisterez-vous à notre prochain spectacle ?
3 : Combien de temps faut-il, en moyenne, pour construire une maison d'un étage ?
4 : Pensez-vous que les cours par correspondance soient efficaces ?
5 : A quoi songeait Jonas dans le ventre de la baleine ?

(11) La forme interrogative peut aussi permettre d'affirmer sans en avoir l'air et d'inviter le lecteur à la réflexion.

Comme dans l'exemple donné, cherchez différentes façons d'opérer la transformation interrogative des phrases qui suivent :
Exemple : *Il dépend de chacun de nous que l'avenir soit meilleur que le présent* — *Ne*

dépend-il pas de chacun de nous que l'avenir soit meilleur que le présent ? — Chacun n'a-t-il pas le pouvoir d'agir pour que l'avenir soit meilleur que le présent ?... etc.
1 : On oublie facilement la misère des pays du Tiers Monde.
2 : Un métier, c'est aussi un moyen de s'épanouir.
3 : La publicité fait partie de notre vie quotidienne.
4 : L'énergie nucléaire est à la fois une menace et un espoir.
5 : La télévision nuit parfois à la vie familiale.

(12) Opérez le même type de transformation que dans l'exemple donné par passage du verbe au nom.

Exemple : *Nous avons appris que notre ami a échoué — Nous avons appris l'échec de notre ami.*
1 : Je souhaite que vous réussissiez.
2 : J'ordonne que les arbres soient abattus.
3 : Je voudrais être certain que vous nous approuviez.
4 : Il est heureux que nous soyons là.
5 : Nous regrettons que vos amis soient partis.
6 : Nous souhaitons que vous veniez.

(13) Vous transformez, comme dans l'exemple, chacune des phrases suivantes en un groupe nominal en passant du verbe au nom correspondant.

Vous utilisez ensuite ce groupe nominal comme sujet d'une nouvelle phrase.
Exemple : *La grève continue — (La continuation de la grève) a été décidée à l'unanimité.*
1 : Les hostilités reprennent.
2 : Les casques bleus sont intervenus.
3 : Certaines espèces animales disparaissent.
4. Les conditions de vie se transforment rapidement.
5 : Nos projets se réalisent.
6 : Votre travail est simplifié par ce procédé.
7 : Ce spectacle fut réussi.
8 : Une nouvelle loi sur la presse a été élaborée.

(14) Vous transformez, comme dans l'exemple, chacune des phrases suivantes en un groupe nominal en passant de l'adjectif au nom correspondant.

Vous utilisez ensuite ce groupe nominal comme sujet d'une nouvelle phrase.
Exemple : *Cette méthode est ingénieuse — (L'ingéniosité de cette méthode) est reconnue par tous.*
1 : Cette pièce est exiguë.
2 : Nos moyens sont efficaces.
3 : Mon ami est modeste.
4 : Les gens sont crédules.
5 : Cet ingénieur est compétent.
6 : Votre tentative est inutile.
7 : Votre explication est claire.
8 : Ce problème est simple.

(15) Etudiez, dans l'exemple donné, les différents moyens mis en œuvre pour exprimer la relation de cause à effet entre deux événements.

Exemple :
— *Le cycliste dut abandonner la course parce qu'il était blessé.*
— *Le cycliste dut abandonner la course car il était blessé.*
— *Comme il était blessé, le cycliste dut abandonner la course.*

— *Etant blessé, le cycliste dut abandonner la course.*
— *Blessé, le cycliste dut abandonner la course.*
— *A la suite d'une blessure, le cycliste dut abandonner la course.*
— *A cause d'une blessure, le cycliste dut abandonner la course...* etc.

- **A votre tour, cherchez toutes les constructions possibles pour exprimer chacune des idées suivantes :**

1 : Le courant a été coupé à la suite d'un accident survenu sur une ligne.
2 : Le marché des changes a été fermé en raison de la crise du dollar.
3 : Les journaux ont augmenté leur prix de vente à cause de leurs difficultés financières.
4 : Il observe cette éclipse car il est curieux des phénomènes naturels.

BIEN UTILISER LA PONCTUATION*

I. — Un test pour mesurer votre aptitude à ponctuer

1. Placez la ponctuation où elle est nécessaire dans le texte suivant qui en est dépourvu.

« Le soleil s'éteindra-t-il nous laissons cette question aux romanciers d'anticipation ce qui nous intéresse nous c'est l'avenir de notre époque son avenir immédiat limité évaluable comment améliorer le sort des plus malheureux que faire pour juguler les guerres qui ensanglantent une partie de notre planète voilà des questions qui exigent des réponses urgentes laissez-nous rêver en paix me répondront les imaginatifs que diable nous avons bien assez de soucis»

2. Utilisez le corrigé pour vérifier votre ponctuation.

Ensuite concluez : Quelles fautes avez-vous commises ? Quels sont les signes de ponctuation dont vous maîtrisez le plus mal l'emploi ? Reportez-vous aux indications qui leur correspondent.

II. — Comment utiliser le point et la virgule ?

■ Leur rôle et leur emploi

• Le point traduit dans l'écriture une pause marquée de la voix. Il indique qu'une phrase est achevée. Ne l'oubliez jamais à la fin de chaque phrase.
Exemple : *Arsène Lupin est un personnage imaginaire. On en a fait le type du gentleman-cambrioleur.*

Attention ! N'oubliez pas la majuscule après le point.

• La virgule marque, à l'intérieur de la phrase, une pause courte. Elle sépare, en particulier :
des éléments juxtaposés → *J'ai vu Jacques, René, Pierre et Georges.*
des éléments apposés → Henri IV, roi de France, mourut en 1610.
des éléments déplacés → *Mon chien, brusquement, se dressa.*
(l'ordre habituel serait : Mon chien se dressa brusquement.)

□ Exercices

(1) Ces phrases sont mal ponctuées et le sens en est faussé. Rétablissez la ponctuation qui convient.

Le charbonnier descendit les cinq étages par la fenêtre. Un enfant le regardait — J'aperçus un chien sur une assiette. Des restes de gâteaux le tentaient — Jean

*** Corrigé page 167.**

était affamé. Il mangea sans lever la tête ses deux voisines apitoyées. Et ses parents souriants l'observaient.

(2) Placez les virgules qui manquent dans les textes suivants.
Femmes moine vieillard tout était descendu — « sire dit le Renard vous êtes trop bon roi » — Voici des fleurs des fruits des feuilles et des branches — Demain dès l'aube à l'heure où blanchit la campagne je partirai.

III. — Comment utiliser le point d'interrogation et le point d'exclamation

■ Leur rôle et leur emploi

- **Le point d'interrogation (?) se place à la fin d'une phrase exprimant une question directe.**

Ex. : *Où vas-tu ? Pourquoi me regardez-vous ?*

- **Le point d'exclamation (!) se place :**

— **soit après une interjection** : *Attention ! Hélas !*
— **soit à la fin d'une phrase exclamative** : *Que tu me sembles belle !*
Il marque une nuance d'émotion (surprise, colère, joie, tristesse...).

□ Exercices

(3) Placez la ponctuation qui convient : Que dites-vous — Quelle bonne surprise — Comme il fait chaud — Où est-il passé — Haut les mains — Connaissez-vous Rachel — Quelle heure est-il — Attention tout va sauter.

IV. — Comment ponctuer un dialogue ?

□ Exemple

« L'HOMME INVISIBLE », *G. Wells.*

(Guffin qui est parvenu à se rendre invisible rend visite à son ami, le Dr Kemp)

Kemp le regardait avec une perplexité infinie.
« Vous devez m'avoir suggéré que vous étiez invisible, dit-il.
— Allons donc !
— Mais cela est fantastique !
— Ecoutez-moi... Je meurs de faim et la nuit est froide pour un homme qui n'a pas de vêtement. »

Kemp eut une sourde exclamation. Il se dirigea vers sa garde-robe et en tira un vêtement d'étoffe rouge sombre.

« Cela fait-il votre affaire ? »

Le vêtement lui fut pris des mains ; il flotta en l'air, flasque pendant un moment ; puis il s'agita d'étrange façon, se dressa moulant un corps, se boutonna de lui-même et s'assit dans le fauteuil.

□ Analyse

1. Quand ouvre-t-on les guillemets ? Quand les ferme-t-on ?
2. Par quelle disposition et par quel signe de ponctuation indique-t-on dans un dialogue que

l'on change d'interlocuteur ?
3. Pourquoi l'auteur n'a-t-il pas fermé les guillemets après « Vous devez m'avoir suggéré que vous étiez invisible » et les a-t-il fermés après « Cela fait-il votre affaire ? »
4. Récapitulez : quand va-t-on à la ligne ? Quand ouvre-t-on et ferme-t-on les guillemets ? Quand utilise-t-on le tiret ?

□ Exercices

(4) Imaginez librement la suite de cette scène en mêlant le dialogue et le récit.

(5) Transformez le récit suivant en récit dialogué : La voiture vint s'immobiliser au bord de la chaussée et l'agent demanda au chauffeur de montrer ses papiers. Ce dernier, tout en les cherchant, expliqua qu'il n'avait pas vu le « stop » et tenta de s'excuser. Mais l'agent ne voulut rien entendre : il veillait au respect du code de la route, c'était son métier.

V. — Comment introduire une citation

■ Règle

Placer la citation entre guillemets. Faites la précéder de deux points si elle est introduite par une présentation.

Buffon a dit : « Le style est l'homme même. »

□ Exercices

(6) **Placez la ponctuation qui convient** : Montaigne a écrit savoir par cœur n'est pas savoir — Connaissez-vous ces paroles de Saint-Exupéry la grandeur d'un métier est peut-être avant tout d'unir des hommes — Puissent tous les hommes se souvenir qu'ils sont frères a dit Voltaire.

VI. — Comment utiliser les autres signes de ponctuation ?

■ Le point-virgule, pause atténuée de la voix, sépare deux propositions (ou deux groupes de propositions) unies par le sens.

Ex. : *Les poissons s'approchèrent de l'appât ; l'un d'eux mordit au ver dodu.*

— **Attention** !
a) Chaque partie ainsi séparée pourrait constituer une phrase à elle seule (jamais donc de point-virgule entre une principale et une subordonnée).
b) Pas de majuscule après un point-virgule.

■ Les deux points annoncent :

— une citation :
Buffon a dit : « Le style est l'homme même. »
— une énumération :
Le tiroir était bourré : peignes, brosses, photos, vieilles lettres.
— une explication : sens de « car », « en effet » :
« Du palais d'un jeune lapin

Dame Belette, un beau matin
S'empara : c'est une rusée. » (La Fontaine)
— les paroles d'un personnage :
Il déclara avec force : « Je ne céderai pas. »

■ **Les guillemets** :

— Se placent **au début** et **à la fin** d'une citation ou d'une conversation.
— Encadrent comme pour l'excuser un terme trop technique ou trop familier.
— Encadrent le titre d'un ouvrage cité :
Molière écrivit « Tartuffe ».

S'EXPRIMER AVEC CLARTÉ ET NETTETÉ*

La clarté est essentielle à l'oral et à l'écrit : qui n'est pas clair n'est pas compris. Voici un test pour mesurer votre aptitude actuelle à la clarté et cinq séries d'exercices pratiques pour améliorer vos performances.

UN TEST : Vous exprimez-vous clairement ?

(1) Proposez une brève définition des mots suivants à l'intention d'un lecteur qui en ignorerait absolument le sens : *une division* (mathématiques) ; *un hôtel ; un bouton* (vêtement) ; *un magnétophone.*

(2) Rédigez une notice d'utilisation à l'usage du public utilisant un appareil téléphonique à cadran muni de numéros : *« Comment utiliser l'appareil. »*

(3) Expliquez en moins de quatre lignes en quoi consiste un match de football.

■ Contrôle et conclusions

Comparez vos explications à celles qui vous sont proposées dans le corrigé. Concluez :

1 : Qu'est-ce qui nuit à la clarté de vos explications ?
2 : Comment pourriez-vous améliorer ?
3 : En conclusion vous estimez-vous : très clair ? assez clair ? un peu obscur ? très obscur ?

1re série d'exercices

■ DÉGAGER AVEC NETTETÉ LES ÉLÉMENTS QUI COMPOSENT UN TOUT

(4) **Observez votre stylo.** De combien de pièces différentes est-il composé ? Quel est le nom et le rôle de chacune ? Comment fonctionne-t-il ?
— Exprimez ceci oralement d'abord. Puis transcrivez-le par écrit en cherchant la plus grande netteté d'expression.
— Rédigez à présent une brève notice indiquant comment changer la cartouche. Pas de mots inutiles. Ensuite comparez avec le corrigé et critiquez-vous.

(5) **Observez un compas.** Présentez ensuite le plus clairement possible :
1 : sa structure (comment est-il constitué ?) ;
2 : sa fonction (à quoi sert-il ?).

Comparez ensuite votre présentation à celle qui est proposée dans le corrigé. A la lumière de cette comparaison, faites l'analyse critique de votre texte.

* **Corrigé pages 167 à 170.**

(6) **Dans le même souci de clarté, présentez, à votre choix, la structure et le fonctionnement de quelques-uns des objets suivants** : une paire de tenailles, un thermomètre, un petit appareil ménager que vous pouvez éventuellement démonter ; une machine qui vous est familière, un magnétophone.

Rédigez ensuite avec netteté la notice d'utilisation de l'un de ces objets ou appareils. Voyez dans le corrigé un exemple de notice d'utilisation.

(7) **L'essentiel et l'accessoire.** Dès qu'il a dégagé les différents éléments d'un tout, un esprit clair distingue aussitôt ceux qui sont essentiels :

1 : Quels sont les deux éléments essentiels d'une boussole. A partir de ces deux éléments, achevez cette définition : « Une boussole est composée par... » Voyez le corrigé.

2 : En ne prenant en compte que l'essentiel, proposez une brève définition : d'un tiroir, d'un taille-crayon, d'un briquet.

3 : Expliquez, en deux lignes au plus, la constitution et le fonctionnement d'un sablier.

(8) **Les relations qui unissent les différents éléments d'un ensemble en fonctionnement.**

1 : Expliquez en quatre ou cinq lignes le fonctionnement d'une bicyclette.

Conseils : Notez l'un sous l'autre les éléments d'explication dans l'ordre logique (D'où vient l'impulsion ? Comment cette impulsion sur les pédales est-elle transmise aux roues ? Qu'en résulte-t-il ?). Ensuite rédigez.

Vous comparerez au corrigé et vous vous critiquerez.

(9) **L'explication d'un phénomène géographique.** A votre choix, expliquez avec la plus grande netteté quelques-uns des phénomènes suivants : la formation d'une dune (réponse proposée dans le corrigé) — la formation des vents — la formation des nuages et de la pluie — la formation d'un delta, d'un volcan, d'un glacier...

Conseils : Vous pouvez d'abord consulter un manuel de géographie. Mais ensuite refermez-le avant de rédiger votre explication.

(10) **L'explication d'un phénomène social ou économique.** Expliquez, à votre choix, avec la plus grande netteté : le fonctionnement d'un compte chèque postal, les mouvements de hausse et de baisse des prix, l'organisation et le fonctionnement d'une gare ou d'un aéroport, l'organisation d'une confédération syndicale, la procédure des élections des députés.

2e série d'exercices

■ DISTINGUER LES IDÉES SIMPLES QUI COMPOSENT UNE IDÉE COMPLEXE

Cette démarche mentale, celle de l'analyse, a déjà été mise en œuvre dans la série d'exercices précédents : il s'agit de dégager avec netteté les éléments qui composent un tout. La clarté dans la pensée résulte de cette opération.

Exemple : *la notion complexe de « supermarché » peut « se démonter » à l'analyse en trois éléments au moins, en trois idées simples :*

1. une vaste surface ;

2. un grand nombre de produits disponibles ;

3. la pratique du libre service.

Voilà, du coup, cette notion éclairée avec précision.

(11) **Distinguez l'une sous l'autre, les différentes idées simples qui composent l'idée de « camping ».** Voyez ensuite le corrigé et critiquez-vous.

— Précisez, à partir de là, ce qui distingue le « camping » des notions voisines : caravaning — pique-nique — excursion...

(12) **Analysez chacune des idées générales suivantes** en distinguant les éléments qui la compose :
1 : l'idée de culture (acquérir une culture, se cultiver) ;
2 : l'idée de démocratie ;
3 : l'idée de progrès.
Comparez au corrigé et critiquez-vous.

(13) **L'analyse d'une idée générale peut conduire à distinguer avec netteté ses différents aspects, ses différentes sortes.**
Un exemple : l'idée de courage. Il s'agit alors d'analyser les différentes formes que peut prendre le courage :
1 : faire face « physiquement » à un danger (soldat, pompier...) ;
2 : refuser de céder à des menaces ;
3 : soutenir une opinion juste, même contre tous ;
4 : faire face aux difficultés de chaque jour sans se laisser écraser.

- **Analyser ainsi avec clarté les différentes formes que peut prendre : le bonheur — l'esprit critique — le désir d'évasion de sa vie quotidienne — l'égoïsme — les loisirs.**

3e série d'exercices

■ ÉLIMINER LES CONSTRUCTIONS QUI LAISSENT UN DOUTE SUR LE SENS DE LA PHRASE

(14) **Pour chacune des constructions suivantes, vous expliquerez d'abord d'où vient l'équivoque** (double sens) **ou l'incohérence.** Ensuite vous corrigerez.
1 : Monsieur Dupont informe Monsieur Durand qu'il l'attendra, demain, chez lui, pour fêter son anniversaire.
2 : La comtesse s'approcha du chien et ouvrit sa gueule.
3 : Bien que vermoulu, le ministre voulut s'asseoir sur le fauteuil.
4 : Le chauffard heurta un piéton qui fut tué sur le coup et prit la fuite.
5 : Avant de donner ce médicament au malade, secouez-le.
6 : Voici le chat de Monsieur le Maire qui a de si longues oreilles.

(15) **Même exercice** :
1 : Le professeur a convoqué la mère de Gustave au sujet de son travail.
2 : Mes amis ont demandé à mes parents de garder leur chat.
3 : Le biberon doit être tenu propre ; quand l'enfant a bu, on le dévisse et on le nettoie sous le robinet.
4 : Le traiteur a préparé une tête de veau pour sa cliente qu'il a décorée d'un brin de persil dans le museau.
5 : Il observait son chien, la pipe entre les dents.

4e série d'exercices

■ NE PAS NOYER LA STRUCTURE DE LA PHRASE SOUS LA MASSE VERBALE

(16) **Voici une information relevée dans un journal** :

Un camion a enfoncé un mur d'école.

1 : Le sens de cette phrase résulte de la mise en relation des trois éléments qui la composent. **Quelle est la fonction grammaticale de chacun ?**

2 : Tant que l'esprit saisit facilement la liaison entre ces trois points d'appui, la phrase est claire. Mais il faut préciser les circonstances de l'accident : essayons de « charger » la phrase d'informations supplémentaires ; vient un moment où les trois éléments précédents sont trop éloignés l'un de l'autre pour qu'on puisse saisir la relation entre eux.

Exemple : *Un lourd camion d'origine italienne et qui retournait, hier soir, par la route du littoral, dans son pays, après avoir chargé des troncs de sapins dans l'Estérel comme il le faisait régulièrement chaque semaine, depuis deux ans, a enfoncé, alors qu'il abordait à vive allure, au bas d'une descente, à la sortie de Saint Isidore, un virage particulièrement dangereux et insuffisamment signalé par les Ponts et Chaussées bien que de nombreux accidents, souvent tragiques, hélas, s'y soient déjà produits, le mur d'une école que personne heureusement n'occupait à cette heure tardive.»*

3 : **Tout en conservant les informations, essayez de rendre à ce texte toute sa clarté**. Finalement, comment avez-vous procédé ? Reportez-vous au corrigé.

(17) Rétablissez la clarté dans le texte suivant :

Les ministres de la communauté européenne qui s'étaient rencontrés la semaine dernière avec leurs homologues de 13 pays pour donner le départ de la coopération scientifique et technique européenne dans la voie prévue par les réunions antérieures, examineront une fois de plus, le 6 décembre, comme ils l'ont déjà fait à différentes reprises et sans résultat malgré les bonnes intentions proclamées, l'avenir du centre commun de recherches dont le principal établissement se trouve à Ispre, en Italie.

(Le « Monde » du 6 décembre 1981)

(18) Incorporez dans chacun des textes suivants les précisions proposées en donnant à l'ensemble la forme la plus claire possible.

1 : En Afrique australe, les Blancs pratiquent une politique de ségrégation à l'égard des Noirs.

A incorporer : Seule région de forte implantation européenne en Afrique — Les Blancs redoutent d'être balayés par la masse des Noirs qui les dominent largement en nombre — Le parti nationaliste intransigeant s'est fait le champion de la politique de ségrégation — L'opinion publique internationale est hostile à cette politique.

2 : La longévité dans le monde augmente avec l'élévation du milieu de vie, les progrès de la médecine et de la chirurgie.

A incorporer : Cette élévation du niveau de vie est très inégale selon les pays.

Un exemple des progrès de la médecine : l'emploi des antibiotiques permet de combattre l'action des microbes ; le premier antibiotique fut la pénicilline ; sa découverte est due à l'Anglais Flemming ; ceci en 1925.

3 : La publicité a envahi toutes les formes de la vie contemporaine.

A incorporer : Elle utilise l'affiche, la radio, la télévision, la presse, elle s'est développée en même temps que le grand commerce — Elle stimule la production et les échanges — Finalement elle profite sans doute à tous, producteurs et consommateurs.

5e série d'exercices

■ ORGANISER AVEC CLARTÉ LES ÉLÉMENTS D'UN DÉVELOPPEMENT

(19) Enoncez l'idée directrice avant d'énumérer ou d'entrer dans le détail.

Exemples :

- Pour que le feu prenne trois éléments doivent être réunis : un combustible, de l'air, de la chaleur.
- Je formule deux griefs contre le sport professionnel : il développe la vanité de certains joueurs promus vedette du stade ; il transforme l'exercice sportif en une simple entreprise commerciale.

En vous inspirant des deux exemples précédents, organisez plus clairement les énoncés suivants :

1 : Les centrales thermiques produisent de l'électricité en utilisant du combustible ; les centrales hydrauliques utilisent l'énergie de l'eau en mouvement et les centrales nucléaires la fusion de l'atome.

2 : L'église au Moyen Age joue un rôle politique important ; en outre, elle favorise le progrès économique, les moines participant activement aux défrichements et améliorant les possibilités de culture ; sa troisième fonction essentielle, c'est d'apporter une unité spirituelle à la Chrétienté.

3 : Un syndicat peut être dissous par une décision de ses membres. Il peut l'être également par une décision de justice pour infraction aux lois.

(20) Jalonnez le déroulement de votre exposé de poteaux indicateurs constitués par des mots charnières : en premier, en second — d'abord, ensuite, enfin — d'une part, d'autre part — en premier lieu, en second lieu, etc.

Exemple : *Deux conséquences sociales de l'automation sont prévisibles à bref délai : d'une part, les manœuvres non qualifiées tendront à disparaître ; d'autre part, l'artisan reviendra à l'honneur (Serge Groussard).*

- **Transformez ainsi chacune des énumérations schématiques suivantes en un développement bien organisée avec des mots jalons.**

1 : Fonctions des inspecteurs du travail : rôle administratif — rôle de conciliation et d'arbitrage dans les conflits du travail — rôle de contrôle de l'application de la législation du travail.

2 : Conditions pour être électeur des délégués du personnel : avoir 18 ans — travailler depuis six mois dans l'entreprise — ne pas avoir subi de condamnation.

(21) Précisez sous forme d'un bref développement bien organisé (énoncé de l'idée directrice et jalonnement) : les bienfaits du sport — les menaces de la pollution — les difficultés que vous rencontrez dans votre travail actuel.

(22) Jalonnez également votre développement de mots-rubriques (véritables étiquettes précisant la catégorie des idées qu'elles introduisent).

Exemple : *La révolution russe de 1917 a eu d'importantes conséquences. Au point de vue social, l'inégalité des conditions a été atténuée. Au point de vue politique, les différentes nationalités qui habitaient l'ancien empire russe s'organisèrent en républiques socialistes autonomes.* (Un manuel d'histoire.)

Nota : On pourrait également se placer à d'autres points de vue : économique, humain, technique, national, international...

- **En cherchant les rubriques qui conviennent, rédigez sur chacun des sujets suivants un développement de 6 à 8 lignes clairement jalonné de mots-rubriques** :

1 : Les conséquences du machinisme.
2 : Les difficultés et les problèmes de la jeunesse.
3 : Les conséquences de la révolution de 1789.
4 : Les causes de la Première ou de la Deuxième Guerre mondiale.

S'EXERCER A DÉMONTRER ET A CONVAINCRE*

I. — Apporter des preuves à l'appui de chaque affirmation

On peut tout affirmer. Mais une affirmation n'est pas un argument : encore faut-il établir la vérité de ce que vous avancez.

Si quelqu'un déclare *« L'hélicoptère est le moyen de transport de l'avenir »,* son affirmation n'a pas plus de valeur que *« L'hélicoptère est un moyen de transport périmé ».* Que manque-t-il ? des preuves.

Mais il ébranle votre conviction s'il précise *« L'hélicoptère est, sans doute, le moyen de transport de l'avenir. Nul autre, en effet, n'est aussi maniable et n'exige aussi peu d'installation au sol. »* Qu'a-t-il ajouté ? des preuves.

☐ Exercices

(1) Trouvez deux preuves pour justifier chacune des affirmations suivantes :

1 : Il n'est pas de moyen de transport plus économique que la bicyclette.
2 : Les rues piétonnes sont utiles dans le centre des villes.
3 : Les arbres doivent être protégés dans notre environnement.
4 : La pollution menace notre planète.
5 : La télévision, en un sens, a peut-être ranimé une certaine vie familiale.
6 : Chaque foyer devient, aujourd'hui, une petite usine miniature.

(2) Comment rattacher logiquement les preuves à l'affirmation qu'elles justifient ?

Observez ces trois phrases :

1 : La lecture reste le meilleur moyen de s'instruire *car* les livres contiennent toutes les connaissances humaines.
2 : La lecture reste le meilleur moyen de s'instruire *puisque* les livres contiennent toutes les connaissances humaines.
3 : La lecture reste le meilleur moyen de s'instruire ; *en effet,* les livres contiennent toutes les connaissances humaines.

- **Comment la preuve est-elle rattachée dans chaque cas à l'affirmation ?**
- **Reprenez chacune des affirmations de l'exercice (1) et enchaînez à l'aide des preuves que vous avez trouvées en utilisant tour à tour : car, puisque, en effet..., etc.**

(3) Dans chacun des textes suivants distinguez l'affirmation et les preuves et précisez comment elles sont rattachées et présentées.

1 : L'ouvrier de chez Renault bénéficie aujourd'hui de plus de confort qu'un baron de Philippe Auguste. C'est ainsi que mille esclaves mécaniques se pressent à son service, l'éclairant, le chauffant, le nourrissant et le transportant.

* **Corrigé pages 170 à 172.**

2 : Chacun, à travers ses loisirs, cherche à se libérer des contraintes : l'un chasse, l'autre pêche, le troisième joue aux boules, tous voyagent.
3 : La réduction progressive du temps de travail est un grand progrès social. Ne permet-elle pas à l'ouvrier de se délivrer de la fatigue et d'échapper à la servitude des tâches imposées ? Ne lui offre-t-elle pas la possibilité de s'épanouir à travers ses loisirs ?

(4) En vous inspirant des différents moyens utilisés dans les exercices (2) et (3) justifiez par des preuves les affirmations suivantes :
1 : La publicité est envahissante.
2 : Le téléphone est un instrument pratique.
3 : L'alpinisme est un sport difficile.
4 : Les autoroutes facilitent la circulation.
5 : La télévision tend, peut-être, à uniformiser les opinions et les goûts.

II. — Bien choisir ses arguments et les exposer avec netteté

☐ Exercices

(5) Voici le point de vue d'un usager de la route sur la limitation réglementaire de la vitesse (journal « Le Monde ») :
« Je suis partisan d'une limitation stricte de la vitesse sur les routes :
— *parce que le réseau routier n'est pas conçu pour de grandes vitesses ;*
— *parce qu'aucun conducteur n'est capable de maîtriser un bolide jeté à 130 km à l'heure quand se présente brusquement un obstacle imprévu... »*
1 : Des deux arguments invoqués lequel vous semble le plus fort ?
2 : Achevez l'argumentation du partisan de la limitation de vitesse en proposant encore deux ou trois autres arguments.

(6) Certains pensent qu'aujourd'hui « les masses » lisent moins qu'autrefois. André Maurois estimait au contraire qu' « elles lisent et liront sans cesse davantage :
— *parce que leurs ressources augmentent et qu'une marge plus grande reste disponible pour l'achat des livres ;*
— *parce que les loisirs ne feront que croître avec la diminution du temps de travail et qu'il faudra bien les utiliser ;*
— *parce que le prix très bas des livres les met désormais à la portée de tous».*
1 : Combien d'arguments ? Appréciez et discutez chacun d'eux. Quel est à votre avis le plus convaincant ?
2 : Formulez quelques arguments complémentaires, inspirés par exemple par la diffusion croissante de l'instruction, le développement des bibliothèques de prêts.

(7) Défendez par 2 ou 3 raisons convaincantes et clairement formulées chacun des points de vue suivants :
1 : Une solide formation de base est indispensable pour un travailleur.
2 : Le football (ou tout autre sport à votre choix) est, à mon avis, l'un des meilleurs sports d'équipe.
3 : Les espaces verts seront toujours indispensables à l'équilibre de l'homme.
4 : Je pense que l'emploi pacifique de l'énergie atomique transformera notre planète.

III. — Faire appel à la fois à la raison, à l'imagination et à la sensibilité

Vous voulez dissuader quelqu'un de fumer et vous lui déclarez : *« Fumer, c'est ruiner sa santé. »* Cet énoncé abstrait ne fait appel qu'à la raison. La menace n'est pas « ressentie » : l'imagination ne se la représente pas, aucune émotion n'est éveillée.

Mais voici quelques slogans :

1 : *« La cigarette tue. »*
Cette formule n'a-t-elle pas déjà un effet de choc ?

2 : *« La cigarette tue 250 000 personnes par an. »*

3 : *« La cigarette tue 250 000 personnes par an, c'est-à-dire la population d'une ville comme Strasbourg. Demain, ce sera vous. »*

Essayez d'expliquer dans quelle mesure les formules 2 et 3 « parlent à l'imagination ». Laquelle des deux, selon vous, est la plus suggestive ? Pourquoi ?

☐ Exercices

(8) Proposez à votre tour quelques arguments destinés à dissuader de fumer en cherchant toujours la formulation capable d'ébranler l'imagination et la sensibilité.

(9) Etudiez les deux appels publicitaires suivants et montrez comment les arguments utilisés cherchent avant tout à séduire, à faire rêver, à éveiller l'imagination.

1 : Ici c'est la grisaille de l'hiver. Mais, là-bas, le soleil luit... Maroc, Tunisie, Côte-d'Ivoire, Egypte, Mexique : ... Le Club Méditerranée a découvert pour vous des pays lumière. Alors, si vous alliez faire dès maintenant un tour du côté de l'été ? Offrez-vous un petit acompte de soleil, de sable blanc et de mer bleue...

2 : « Jet Tours » vous emmène au Kenya : l'Océan est délicieusement tiède et après le bain, on va pêcher l'espadon, ou photographier le lion !

(10) Sur chacun des thèmes suivants imaginez quelques appels publicitaires qui éveillent l'imagination, ébranlent la sensibilité :

1 : Epargnez pour vos vieux jours.
2 : Respectez la nature.
3 : Achetez des disques.
4 : Passez vos vacances à la montagne.

IV. — Donner à chaque argument le développement nécessaire pour le rendre convaincant

Voici, par exemple, un auteur qui veut alerter l'opinion publique contre la pollution qui menace notre planète. Il prend appui sur deux catégories ou faits :

1 : *Lacs et fleuves sont envahis par les déchets de l'industrie.*
2 : *L'atmosphère est polluée par les usines et les véhicules.*

Ainsi présentés, dans leur sécheresse, ces faits n'ébranlent pas l'intelligence ni l'imagination : ils ne sont pas convaincants. Il s'agit donc, à partir d'eux, de « monter » une véritable argumentation qui « frappe » l'esprit (par des exemples, des comparaisons, une formulation vigoureuse).

L'auteur a finalement abouti au texte suivant :

« Il est temps que l'humanité prenne conscience des dangers qui pèsent sur elle sinon notre planète risque de devenir un gigantesque égout collectif où toute vie serait tragiquement impossible.

Lacs, fleuves, océans, ces immenses réserves d'eau pure sont peu à peu envahis par tous les déchets de l'industrie. Et notre air lui-même est menacé ! Sait-on que l'aviation mondiale brûle chaque année autant d'oxygène que 2 milliards d'hommes ?

Sait-on que les 250 millions d'automobiles qui roulent dans le monde en consument autant que la totalité de la population de la terre ? Dans deux siècles, selon certains savants, l'oxygène aura disparu de l'atmosphère. » Philippe Saint-Marc (Socialisation de la Nature)

— A votre avis, l'argumentation de l'auteur est-elle convaincante ?
— Pourquoi ?

□ Exercices

(11) Vous savez que la plupart des Français prennent leurs vacances en juillet et surtout en août. Vous en connaissez les conséquences fâcheuses : encombrement sur les routes et dans les lieux de tourisme, entreprises fermées, vie économique bloquée...

- **Rédigez une argumentation destinée à convaincre les Français d'étaler leurs vacances** : en juin, en septembre... etc.

(12) **Développez une argumentation qui incite les automobilistes à la prudence afin de réduire les accidents de la route.**

(13) **Sur l'un des thèmes suivants, développez, à votre choix, une argumentation « pour » ou « contre ».**

1 : Le sport professionnel.
2 : Le dopage en matière sportive.
3 : La peine de mort.
4 : La scolarité obligatoire jusqu'à 18 ans.

2e partie

LA CORRESPONDANCE USUELLE

LA CORRESPONDANCE : indications générales*

Toute lettre doit obéir à des usages précis qui gouvernent sa disposition et ses formules (formule d'attaque - formule de politesse finale).

I. — La disposition d'ensemble d'une lettre

■ Exemple : Une lettre administrative

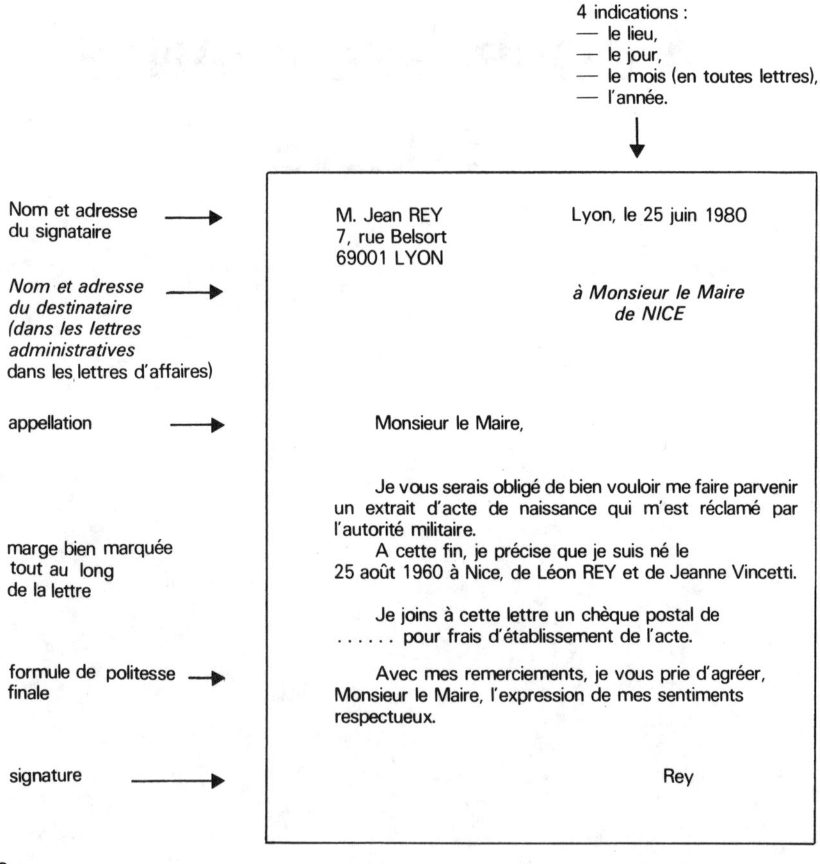

M. Jean REY
7, rue Belsort
69001 LYON

Lyon, le 25 juin 1980

à Monsieur le Maire de NICE

Monsieur le Maire,

Je vous serais obligé de bien vouloir me faire parvenir un extrait d'acte de naissance qui m'est réclamé par l'autorité militaire.

A cette fin, je précise que je suis né le 25 août 1960 à Nice, de Léon REY et de Jeanne Vincetti.

Je joins à cette lettre un chèque postal de ...... pour frais d'établissement de l'acte.

Avec mes remerciements, je vous prie d'agréer, Monsieur le Maire, l'expression de mes sentiments respectueux.

Rey

* Corrigé page 173.

Indications diverses

— Pour les lettres d'affaires et les lettres administratives, seul le papier blanc et uni convient ;
— dans toute lettre, une écriture lisible est une forme de politesse ;
— soignez toujours la présentation : on vous juge à travers elle.

■ **En-tête**

— **à un supérieur, à un inconnu :**

N'écrivez pas	**mais écrivez**
— M. le Directeur	Monsieur le Directeur
— Monsieur Dupont	Monsieur
	Monsieur le Maire

— **à un ami :**
Cher Monsieur, Cher ami, Mon cher Paul...

Nota : Monsieur ou Madame, en tête d'une lettre prend toujours une majuscule.

II. — Les formules d'attaque dans une lettre officielle

■ **1er cas : Vous demandez quelque chose (renseignements par exemple)**

— formules courantes : d'un degré croissant de courtoisie dans la colonne 1.

1	*2*
Veuillez	
Veuillez avoir l'obligeance de	*m'adresser*
Je vous prie de	*m'indiquer*
Je vous serais obligé de	*me faire parvenir*
Je vous serais reconnaissant de	
Je vous prie de bien vouloir	

— formule déférente et officielle :

1	*2*	*3*
J'ai l'honneur de	*vous demander*	*une autorisation...*
	solliciter	*le poste de...*
	solliciter de votre bienveillance	

■ **2e cas : Vous informez de quelque chose**

— formule officielle : *J'ai l'honneur de porter à votre connaissance...*
— formule neutre : *Je vous informe que...*
— formule positive : *J'ai le plaisir de vous informer que...*
— formule négative : *J'ai le regret de vous informer que...*

III. — Le choix de la formule de politesse finale

Une formule adaptée au destinataire

Il s'agit pour chaque lettre de composer une formule de politesse plus ou moins neutre ou plus ou moins respectueuse selon votre correspondant. Une telle formule résulte, en général, de la combinaison de **trois éléments** (A.B.C.).

A :	B :	C :
1) Acceptez	*, Monsieur,*	*mes salutations distinguées*
2) Je vous prie d'accepter	*, Monsieur le Maire,*	*mes sentiments respectueux*

Étudions ces deux exemples

(1) Quelle est, de ces deux formules, la plus neutre ? Quelle est la plus déférente ? Justifiez votre jugement avec précision.

(2) Chacune de ces formules compose une phrase : quel en est le verbe ? Où est le groupe complément ? Comment l'élément B s'intercale-t-il dans la phrase ?

- **Remarques sur l'élément B** :
  - — il est indispensable ;
  - — il doit reprendre dans les mêmes termes l'appellation du début de la lettre ;
  - — il doit être intercalé entre deux virgules ;
  - — il comporte nécessairement une majuscule de politesse à « Monsieur » et à l'indication éventuelle de la fonction.

Un tableau récapitulatif

L'usage nous propose un certain nombre de possibilités parmi lesquelles chacun peut choisir les trois éléments de sa formule de politesse. Le tableau suivant récapitule quelques-unes de ces possibilités classées en 4 niveaux en allant du plus neutre au plus respectueux.

→

FORMULES FINALES DE POLITESSE

(elles résultent de la combinaison de 3 éléments)

	A	B	C
niveau 1	recevez acceptez agréez	, cher Monsieur, , Monsieur,	mes salutations distinguées
niveau 2	Veuillez accepter Veuillez agréer	, cher Monsieur, , Monsieur,	mes salutations distinguées mes sentiments distingués mes sentiments les meilleurs
niveau 3	Je vous prie d'accepter, Je vous prie d'agréer	, cher Monsieur, Monsieur, , Monsieur le Directeur,	mes salutations les plus distinguées mes sentiments les meilleurs mes sentiments dévoués mes sentiments respectueux
niveau 4	Je vous prie de bien vouloir accepter Je vous prie de bien vouloir agréer	, Monsieur, , Monsieur le Directeur,	l'assurance de mes sentiments respectueux l'expression de mes sentiments les plus respectueux

Nota : il est préférable d'utiliser dans la même formule les éléments situés au même niveau de respect. Pourquoi ?

■ Étudions et utilisons ce tableau.

(3) Niveau 1

A quel mode sont les verbes ? Que permet d'exprimer ce mode, en général ?

— Cherchez le sens exact du verbe « agréer » dans le dictionnaire. Comparez les trois verbes : recevoir, accepter, agréer. Ne sont-ils pas placés dans un ordre croissant de courtoisie ? Montrez-le.

— Cherchez toutes les formules de politesse qu'il est possible de composer avec les éléments A, B et C à ce niveau 1. Comparez ces différentes formules et dites dans quel cas vous les emploierez.

(4) Niveau 2

A quel mode est le verbe principal ? Le sens de ce verbe n'introduit-il pas, cependant, une nuance supplémentaire de courtoisie par rapport au niveau 1 ? Pourquoi ?

— Cherchez toutes les formules de politesse qu'il est possible de composer à ce niveau et comparez-les. Dans quels cas les emploieriez-vous ?

(5) Niveaux 3 et 4

A quel mode est le verbe principal ?

— Montrez pourquoi il y a progression vers la déférence du niveau 2 au niveau 3, du niveau 3 au niveau 4.

— Composez les différentes formules de politesse possibles au niveau 3 et au niveau 4 et essayez de préciser dans quels cas vous pourriez les employer.

(6) Exercices complémentaires

Quelles formules emploierez-vous à la fin d'une lettre :

1 : destinée à un grand magasin par correspondance (commande d'un article) ;
2 : destinée au Maire (demande dun extrait d'acte de naissance) ;
3 : destinée à un syndicat d'initiative (demande de renseignement) ;
4 : destinée à un employeur ;
5 : destinée à l'Inspecteur d'Académie (candidature à un examen).

LA CORRESPONDANCE : quelques types de lettres usuelles*

I. — La lettre de demande de renseignements

■ Exemple : lettre à un éditeur

Monsieur,

Nous vous prions de bien vouloir nous adresser votre dernier catalogue concernant les ouvrages scolaires édités par votre maison à l'intention des établissements d'enseignement technique.

Une réponse rapide de votre part nous permettrait de passer aussitôt commande des livres dont nous avons besoin.

Veuillez agréer, Monsieur, nos salutations distinguées.

■ Analyse

— Quel est l'objet de cette lettre ? Est-il clairement indiqué ?
— Quel est le ton général ?
— Formulez librement remarques et critiques.
— Quels sont les éléments de tous ordres qu'il faudrait ajouter à cette lettre pour l'expédier ?

□ Exercices d'application

(1) Vous souhaiteriez, avec quelques camarades, passer un mois d'été sur un terrain de camping municipal au cœur d'une région touristique que vous préciserez. **Vous écrivez au syndicat d'initiative de la ville** (du village) où vous souhaitez camper afin d'obtenir tous les renseignements qui vous sont nécessaires.

Indications générales : avant de rédiger a) dressez la liste de tous les renseignements dont vous avez besoin ; b) groupez ces renseignements par catégories (ex. : le camping et les possibilités d'approvisionnement — les itinéraires à partir du camping...) ; c) établissez votre plan.

(2) **Rédigez de brèves lettres sur les thèmes suivants** :
— Demande d'une documentation concernant une machine de votre profession.
— Demande à un directeur d'une salle de cinéma d'accorder une réduction de tarifs aux membres de votre club.
— Demande à une entreprise de venir procéder à la démonstration de ses appareils de projection dans votre établissement.

II. — La lettre de commande

■ Son but

Elle est adressée à un commerçant afin qu'il vous expédie l'article que vous désirez.

* Corrigé pages 174 et 175.

Sa forme

Elle doit être brève, claire et précise. Elle comporte, le plus souvent deux paragraphes :

— le premier paragraphe comporte l'indication précise de l'objet que vous désirez : caractéristiques de cet objet, référence du catalogue, prix ;
— le deuxième paragraphe peut préciser les modalités de livraison et les conditions de paiement.

Un exemple

Jean REY
72, rue Hautbert
69006 LYON

Lyon, le 6 mars 1981

Monsieur,

Formule d'attaque et énoncé de l'objet de la lettre

Je vous serais obligé de bien vouloir m'expédier le marchepied figurant à votre catalogue sous le numéro 854.

1re partie : Détermination de l'objet commandé

Afin d'éviter toute confusion, je vous rappelle les caractéristiques exactes de cet objet :
— hauteur : 1,90 m,
— largeur : 0,50 m.
Il comporte dix marches de chêne, des montants métalliques et deux crochets. Le prix indiqué est de 175 francs franco de port et d'emballage.

2e partie : Modalités de livraison et conditions de paiement

La livraison pourra en être effectuée à mon domicile dans les meilleurs délais. Le paiement sera réalisé par chèque postal dès la réception (1).

Formule finale de politesse

Je vous prie d'agréer, Monsieur, mes salutations distinguées.

Signature

(1) Le mode de règlement doit être choisi parmi ceux qui sont proposés par le fabricant.

Étude de cette lettre

(1) Un paragraphe par idée principale. Montrez-le.

(2) Pas de mots inutiles mais toutes les précisions indispensables. Montrez-le.

(3) Complétez l'en-tête et modifiez cette lettre comme si elle émanait de vous.

Exercices

(4) Dans la lettre précédente : remplacez la formule d'attaque par 3 ou 4 autres formules différentes et également valables. — Remplacez la formule de politesse finale par 3 ou 4 autres formules possibles.

(5) Rédigez une lettre de commande de 3 ou 4 ouvrages pour votre bibliothèque personnelle.

III. — La lettre de réclamation

■ Son but

Un colis à votre adresse s'est égaré, votre relevé de communication téléphonique est inexact, une erreur a été commise dans l'expédition de marchandises qui vous étaient destinées... : les circonstances sont nombreuses où il est nécessaire de rédiger une lettre de réclamation pour obtenir la réparation du tort qui vous a été causé.

■ Sa forme

Une telle lettre doit être :

— ferme mais courtoise surtout lors d'une première réclamation. La bonne foi de votre correspondant n'est sans doute pas en cause ;

— nette et précise : l'erreur ou le tort qui vous a été causé, doit être clairement établi.

■ Exemple

Jean REY
72, rue Hautbert
69006 LYON

Lyon, le 23 mars 1981

Monsieur,

INTRODUCTION :
Formule d'attaque et énoncé de l'objet de votre lettre.

J'ai le regret de vous signaler que votre expédition du 20 mars 1981 n'est pas conforme à ma commande du 6 mars.

1er paragraphe :
Justification de votre réclamation.

En effet le marchepied qui vient de m'être livré ne comporte pas les montures métalliques dont mention figurait sur votre catalogue au N° 854 et les marches sont en hêtre et non en chêne comme il était annoncé.

2e paragraphe :
La solution que vous proposez ou la réparation que vous demandez.

Je vous demande donc de faire reprendre cet objet à mon domicile par votre livreur et de me faire parvenir en échange un article conforme en tous points aux caractéristiques de votre catalogue.

Formule finale.

Recevez, Monsieur, mes sincères salutations.

Signature

■ Étude de cette lettre

— Un paragraphe par idée principale : montrez-le.

— Quelles étaient les différentes précisions indispensables — Figurent-elles dans cette lettre ?

□ Exercices

(6) Dans la lettre précédente, remplacez la formule d'attaque et la formule de politesse finale par d'autres formules également possibles.

(7) Une erreur a été commise dans l'expédition des ouvrages commandés par votre bibliothèque. Rédigez la lettre de réclamation.

IV. — La lettre administrative

Lettre adressée à une administration ou lettre adressée à un supérieur hiérarchique.

■ Qualités exigées d'une telle lettre

— Brève, précise, très claire ;
— d'une disposition rigoureuse ;
— d'une politesse parfaite.

Exemple : voir p. **26** *la demande d'extrait d'acte de naissance.*

■ Contenu de cette lettre

— Dès la première phrase, précisez avec clarté l'objet de votre lettre : que désirez-vous ? Pourquoi écrivez-vous ?
— Fournissez ensuite à votre correspondant tous les renseignements dont il a besoin pour vous répondre.

Dans l'exemple de la p. **26** *il doit connaître : votre date et votre lieu de naissance — le nom de vos parents — la façon dont vous réglez les frais d'établissement de l'acte — votre adresse actuelle.*

■ Plan de cette lettre

Classez les éléments qui doivent figurer dans votre lettre selon un plan simple et logique et rédigez en consacrant un paragraphe pour chaque catégorie.

Ex. : p. 26
1) *Pièce demandée : extrait d'acte de naissance.*
   Pourquoi ? : réclamée par l'autorité militaire.
2) *Renseignements nécessaires : date et lieu de naissance — nom des parents.*
3) Indication du règlement des frais.

□ Exercices

(8) Vous écrivez à la Direction des Postes de votre département pour demander les imprimés à remplir en vue d'obtenir une installation téléphonique.

(9) Vous écrivez à la Gendarmerie pour porter plainte à l'occasion d'un vol commis dans votre petite maison de campagne.

(10) Vous écrivez à l'Inspection Académique pour demander votre inscription à un examen ou à un concours.

V. — La lettre de demande d'emploi

■ Son but

Quand on cherche un emploi on peut tenter sa chance de diverses manières : en se présentant au bureau départemental de la main-d'œuvre, en se présentant dans une entreprise, mais aussi en écrivant. On peut alors poser sa candidature ou répondre à une annonce. Une lettre de cet ordre est très importante puisque votre avenir peut en dépendre.

Sa forme

Il va de soi qu'une telle lettre, à travers laquelle vous serez jugée, doit être :

1 : bien rédigée ;
2 : claire et précise ;
3 : particulièrement soignée dans sa présentation, son écriture et son orthographe.

Son contenu et son plan

1) Certains éléments doivent nécessairement figurer dans cette lettre. Ce sont tous les renseignements dont votre correspondant a besoin pour savoir si votre candidature peut être retenue :
— Votre état civil (nom, adresse, âge, situation de famille).
— Votre formation (études ou apprentissage suivis, diplômes obtenus).
— Vos références (emplois éventuellement occupés).

2) D'autres éléments peuvent y figurer le cas échéant, en particulier quelques questions que vous souhaitez poser : sur les conditions de travail, sur les conditions de salaire...

Les deux grandes parties de cette lettre apparaissent donc clairement :

— Présentation de votre candidature (partie essentielle).
— Précisions que vous souhaitez connaître.

Un exemple

Recherchez s'il comporte les éléments que nous avons signalés.

M. Jean Dupont
6 rue Grange-Neuve
69005 LYON

Lyon le 2 août 1981

à Monsieur le Directeur
des établissements G.D.S.

Monsieur le Directeur,

En réponse à votre annonce M 1743 parue dans le Progrès de ce jour, j'ai l'honneur de vous présenter ma candidature au poste de... vacant dans votre entreprise.

Agé de dix-huit ans, j'habite à l'adresse ci-dessus, chez mes parents. J'ai suivi pendant trois ans les cours du L.P. de Villeurbanne où j'ai reçu une formation de . . . et je viens, à l'issue de cet apprentissage, d'obtenir le certificat d'aptitude professionnelle de ma spécialité. Pendant les vacances, j'ai travaillé à plusieurs reprises aux établissements X, avenue Girodet, qui n'ont pu actuellement me reprendre faute de poste disponible, mais où vous obtiendrez tous les renseignements utiles me concernant.

Je serais heureux, toutefois, que vous m'apportiez quelques indispensables précisions sur le poste qui pourrait être le mien. En particulier, j'aurais aimé savoir si je serais appelé à travailler à Lyon même ou dans l'une de vos filiales. Enfin tout renseignement sur les horaires et sur l'éventuel salaire me serait précieux.

Je vous prie d'agréer, Monsieur le Directeur, l'expression de mes sentiments respectueux.

Dupont.

□ Exercices

(11) Proposez pour la lettre précédente : 2 ou 3 autres formules d'attaque et 2 ou 3 autres formules de politesse.

(12) Rédigez la demande d'emploi réelle que vous pourriez adresser à un employeur de votre profession.

VI. — Le curriculum vitae

(littéralement « le déroulement de la vie »)

■ De quoi s'agit-il ?

Certains employeurs demandent un curriculum vitae (en abrégé C.V.), c'est-à-dire, sur une feuille distincte de la lettre, l'ensemble des renseignements vous concernant.

Les Etablissements NEU

recherchent pour leur Centre de recherches et d'études de MARCQ-EN-BARŒUL

DESSINATEUR PROJETEUR

en constructions mécaniq., ayant une dizaine d'années d'expér., de préférence en machines tournantes.
Adresser candidature manuscrite avec C.V. détaillé à :
Ets NEU, Boîte postale 137, 59043 LILLE CEDEX

Dans ce cas vous adressez à l'employeur :

— une brève lettre dans laquelle vous faites acte de candidature sans fournir de renseignements sur vous-même ;
— un C.V. accompagnant la lettre et fournissant tous les renseignements classés par rubriques sous forme d'un simple tableau non rédigé.

→

■ Exemple de C.V.

ETAT CIVIL

— Nom et prénoms : DURAND Jean-Louis.
— Date et lieu de naissance : 25 juin 1951 à Roanne.
— Nationalité : française.
— Situation militaire : libéré de toute obligation.
— Situation de famille : marié, deux enfants (3 ans et 1 an).
— Adresse : 7, rue des Essarts, 69500 BRON.

FORMATION REÇUE

— Diplômes obtenus : Certificat d'études primaire (1962).
Brevet d'études du 1er cycle (1966).
Brevet d'études professionnelles (métreur) 1968.
— Etablissements scolaires fréquentés : CES Edouard Herriot, BRON (1962-1966).
CET du Bâtiment, BRON (1966-1968).
— Eventuellement langue étrangère pratiquée : anglais (connaissance élémentaire).

ETAT DES SERVICES PROFESSIONNELS

(Indiquez dans l'ordre chronologique les différents emplois occupés : précisez les dates, le nom de l'entreprise, la fonction occupée, la raison de votre départ).

DIVERS

(Précisez, par exemple, si vous possédez le permis de conduire, si vous accepteriez des déplacements...).

□ Exercice

(12) Dressez avec précision et clarté votre C.V. personnel.

3e partie

LES COMPTES RENDUS ET LES RAPPORTS

LE COMPTE RENDU D'ÉVÉNEMENTS*

Il peut prendre des formes diverses selon l'événement relaté : information de type journalistique, compte rendu d'accident, compte rendu de réunion, etc...

L'auteur d'un tel compte rendu doit rapporter le déroulement des faits tels qu'ils ont réellement eu lieu. On lui demande avant tout d'être clair, précis et objectif (il s'efface derrière les faits sans prendre position).

I. — L'information journalistique

■ Son but

Le journaliste qui relate un événement se propose de le faire connaître au lecteur.

■ Ses caractéristiques

Aussi brève soit-elle, toute relation d'événement doit apporter au lecteur, avec le maximum de clarté et d'exactitude une information complète : c'est-à-dire qu'elle doit répondre aux questions suivantes :

1) De quel événement s'agit-il ?
2) Où et quand s'est-il déroulé ?
3) Comment s'est-il déroulé ?
4) Pourquoi ?
5) Quelle fut sa conclusion, ses conséquences? Quelle est son importance?

■ Exemple 1 : Une brève information sportive

« Londres 13 juin 1975. Dimanche dernier, à Dublin, s'est disputé le match de rugby qui mettait aux prises l'Irlande et le pays de Galles pour la finale du tournoi des Cinq Nations.

La rencontre, âpre et passionnée, fut longtemps indécise et la pluie qui ne cessa de tomber transforma vite le terrain en bourbier où les mêlées s'enlisèrent. Malgré ces conditions difficiles, la combativité des joueurs tint jusqu'au bout le public en haleine.

Durant la première mi-temps, l'avantage revint aux Irlandais qui, grâce à leur jeu précis, l'emportèrent d'abord par 6 à 5. Mais les Gallois, plus athlétiques, s'imposèrent au cours de la seconde mi-temps et c'est eux qui arrachèrent finalement la victoire par 15 à 6. »

• Analyse :

Cherchez dans quelle mesure cette information répond aux caractéristiques que nous avons précisées : est-elle claire, suffisamment précise, complète ?

*** Corrigé page 176.**

- **Exercice :**

(1) Dressez à votre tour le bref compte rendu d'un match (ou d'une rencontre sportive) auquel vous avez assisté.

■ Exemple 2 : Une information économique et sociale

Expérience pour améliorer les conditions de travail à la chaîne

Une expérience est actuellement en cours à l'usine Renault du Mans dans le sens d'une humanisation du travail des ouvriers spécialisés, dont la « robotisation » a été mise en relief lors de la longue grève de juin.

Cette expérience consiste à modifier le travail de l'ouvrier spécialisé qui pourrait ne plus être voué à une tâche monotone et parcellaire. C'est dans le cadre de la réorganisation d'une chaîne où sont montés les éléments des trains avant et arrière des voitures, que la nouvelle méthode est expérimentée. Trois O.S. de l'équipe du matin et trois O.S. de l'équipe du soir ont été choisis pour cette expérience.

Il s'agit de faire effectuer par le même ouvrier successivement toutes les opérations de la chaîne. Celui-ci montera donc entièrement l'ensemble de l'organe, alors qu'à la chaîne traditionnelle chaque ouvrier n'accomplit qu'une opération bien précise faisant toute la journée le même geste. Avec la nouvelle méthode, l'ouvrier suit la chaîne et accomplit les différentes opérations du montage dont il a ainsi la maîtrise et la responsabilité.

A la direction de l'usine du Mans, on précise qu'il ne s'agit pour l'instant que d'un essai qui ne pourrait, dans le meilleur des cas et à long terme, intéresser qu'une très petite partie de l'effectif d'une entreprise qui emploie dix mille personnes.

"La Voix du Nord"

- **Analyse :**

— Quel est le but de cette expérience ?
— En quoi consiste-t-elle ?
— Où est-elle entreprise ?

- **Exercices :**

(2) Relatez la même expérience en réduisant l'article de moitié. Faites la critique de l'article obtenu.

(3) Relatez de la même façon brève, claire et précise :
— soit une expérience qui se déroule dans votre établissement ;
— soit une information sociale dont la télévision s'est fait l'écho.

II. — Le compte rendu d'accident

Chacun doit être capable de rédiger un tel compte rendu qui peut lui être demandé un jour ou l'autre par une assurance, un employeur, la Sécurité sociale...

Il peut se présenter sous deux formes :

— un formulaire à remplir (procurez-vous un de ces formulaires auprès de votre compagnie d'assurances et remplissez-le) ;
— un compte rendu rédigé. C'est ce dernier que nous allons étudier.

■ Son but :

Informer d'un accident survenu et apporter votre témoignage sur les faits exacts qui se sont déroulés sous vos yeux.

■ Ses qualités :

C'est un enregistrement des faits. Il sera donc :

— *rigoureusement exact.* Toute erreur, tout détail imaginaire peut avoir de graves conséquences et l'inexactitude volontaire d'un témoignage est sanctionnée par la loi ;
— *clair et précis.* Certains détails peuvent avoir une importance décisive (heure à la minute près, position du responsable ou de la victime...).

■ Un plan possible :

1) Indication des circonstances : le moment, le lieu, les personnages présents. Où étiez-vous en tant que témoin ?
2) Récit des faits dans l'ordre chronologique.
3) Conséquences de cet accident.
4) Eventuellement jugement personnel mesuré sur les causes et les responsabilités.

Nota : Il est toujours recommandé d'illustrer le compte rendu d'accident par des croquis à l'échelle et, éventuellement, des photographies.

■ Exemple : Témoignage sur un accident du travail

« Je soussigné, Pierre Durand, commis d'architecte aux établissements Granges, déclare avoir été témoin de l'accident survenu à M. Jean Foyatier le 16 mars 1979.

Il était 15 h 10 précises et M. Foyatier, manœuvre dans l'entreprise, déchargeait un camion de moellons sur le chantier d'un immeuble en construction situé 22 ter, rue des Ferraillons à Chambly (Oise). J'étais moi-même à cinq mètres de là en train de relever des repères pour les fondations.

J'ai soudain vu M. Foyatier glisser sur le sol humide avec son chargement de moellons. Son compagnon de travail, M. Paul Boranzy, et moi, nous sommes portés immédiatement à son secours. Blessé par les moellons à la tête et à la jambe droite, M. Foyatier gémissait.

Nous avons immédiatement alerté les pompiers à la cabine téléphonique proche et ceux-ci, dix minutes plus tard, transportaient la victime à l'hôpital.

Je pense, sous toutes réserves, qu'il ne s'agit que de plaies superficielles et que cet accident est imputable au sol glissant. »

Durand

• Exercice

(4) Rédigez le compte rendu d'un accident dont vous avez été témoin ou que vous imaginerez.

III. — Le procès-verbal de réunion

■ **Il doit préciser** : la nature de la réunion — le lieu — la date et l'heure précise — l'organisation de l'assemblée — le déroulement de la séance — les décisions prises.

- **Exemple** : *Le bureau de la coopérative scolaire s'est réuni en séance ordinaire dans la salle du foyer le 7 janvier 19.. à 16 heures. La présidence de la séance était assurée par Ravel. Etaient absents J... qui s'était fait excuser et R..., malade. Ravel a d'abord pris la parole pour préciser le but de la réunion : l'achat de deux tables de ping-pong. A la suite d'une discussion qui s'est prolongée environ 20 mn et au cours de laquelle chacun exposa brièvement son point de vue, le projet fut finalement adopté à l'unanimité.*

  Sur proposition du président, la prochaine réunion du bureau a été fixée au 15 mars 1981.

  Nice, le 7 janvier 1981
  Le secrétaire de séance

- **Application** :
  Dressez à votre tour le procès-verbal d'une réunion à laquelle vous avez participé.

LE COMPTE RENDU D'ACTIVITÉS*

Très nombreuses sont les circonstances où vous pouvez avoir à rendre compte, oralement ou par écrit, d'une activité dont vous avez été chargé (démarche, travail de longue haleine, activité de gestion d'une association...).

Ainsi :

— Le secrétaire d'un club sportif ou d'un syndicat doit rendre compte de ses activités aux adhérents.
— Un artisan peut rendre compte à un client du travail qu'il a effectué.
— Un ouvrier, un employé, un ingénieur peuvent avoir à rendre compte d'une mission ou d'une tâche.

I. — Présentation et entrée en matière du compte rendu

Le compte rendu écrit peut prendre selon les cas des formes diverses :

■ Exemple 1 : la lettre de compte rendu

Monsieur,

Je vous prie de trouver ci-après le compte rendu des travaux effectués dans votre résidence « Les Cytises » selon les instructions que vous m'avez communiquées par votre lettre du 12 novembre 19..

• Exercices

(1) Proposez deux autres formules d'attaque à la place de celle-là.

(2) Rédigez la phrase d'attaque de la lettre de compte rendu que vous adressez à un employeur pour lui rendre compte d'une démarche dont il vous a chargé dans une ville éloignée.

■ Exemple 2 : le compte rendu impersonnel

« Chargés d'une intervention auprès du Directeur, les délégués du personnel portent à la connaissance de leurs camarades les faits suivants... »

Ceci peut même prendre la forme d'un simple titre précédant l'exposé des faits :

« Compte rendu de l'intervention des délégués du personnel auprès de la Direction : 16 juin 19.. »

Viennent ensuite les faits :

« Nous avons été reçus le 15 juin à 18 heures par MM. Blanchard et Charblan. L'entretien qui a duré une trentaine de minutes a porté sur... »

• Exercice

(3) Rédigez l'entrée en matière du compte rendu d'activité que vous adressez en fin d'année à chacun des membres du club de jeunes dont vous êtes secrétaire.

* Corrigé page 176.

II. — Contenu du compte rendu

Il s'agit :

— de classer les différents éléments de votre activité d'une façon logique ;

— d'en relater le déroulement avec clarté, sans mots inutiles et sur un ton neutre (ne cherchez pas à vous mettre en valeur).

■ Exemple de bref compte rendu de démarche

« Mahé et Perriet, délégués de la classe, ont été reçus le 16 mars à 10 h par Monsieur Georges, Directeur du L.P. Ils lui ont exposé les modifications que leurs camarades souhaitaient voir apporter à leur emploi du temps. Après examen de tous les problèmes posés, il est apparu que le changement du vendredi était impossible car l'atelier est occupé par une autre section. Par contre, la permutation entre la gymnastique et le dessin,le lundi après-midi, semble réalisable. Cette modification pourra être appliquée dès que les professeurs concernés auront donné leur accord et la classe en sera alors officiellement avisée. »

• Exercice

(4) Quelques-uns d'entre vous sont allés aux bureaux de l'Inspection départementale du travail et de la main-d'œuvre pour connaître les possibilités d'emploi dans la profession qui est la vôtre. Rédigez le compte rendu de cette démarche.

■ Exemple de compte rendu de travaux en équipe

« Compte rendu présenté par l'équipe II. Thème : Les mal logés. »

A. — Organisation d'ensemble de notre travail

Chargée de réaliser un panneau d'affichage sur le thème des « mal logés », notre équipe s'est immédiatement posée deux catégories de problèmes :

1) Fallait-il envisager la question uniquement sur le plan local ? Fallait-il au contraire l'examiner à l'échelon national ou même mondial ?

2) Quelle que soit la solution choisie, comment allions-nous pouvoir réunir la documentation nécessaire ?

Après discussion, nous avons décidé de prévoir deux volets à notre panneau, le premier serait consacré aux difficultés de logement locales ; le deuxième tenterait de révéler, brièvement, la portée du problème au-delà de notre ville.

Nous nous sommes alors répartis les tâches en fonction de ce double objectif : trois d'entre nous ont pris en charge les enquêtes à mener à travers la ville; aux deux autres fut confiée la recherche d'une documentation générale.

B. — Déroulement de notre travail

(Vous rapportez ici vos différentes démarches et les résultats obtenus : pas de détails inutiles, faites bien apparaître les points essentiels, soyez clairs).

C. — Problèmes rencontrés

1) *Les administrations municipales sont souvent réticentes pour donner des renseignements de cet ordre.*

2) *Ce thème nous a paru trop large pour une seule équipe. Nous pensons que deux ou trois équipes auraient pu se répartir les tâches. Ainsi, nous aurions pu multiplier les enquêtes dans les quartiers.*

3) *Il faudrait consulter davantage d'ouvrages pour recueillir la documentation d'ensemble sur ce problème. »*

- **Exercices :**

(5) Dressez le compte rendu d'un travail effectué dans votre spécialité professionnelle.

(6) Dressez le compte rendu d'un travail de recherche que vous avez réellement exécuté en équipe.

LE COMPTE RENDU DE LECTURE

Sous forme de fiche ou de développement suivi, c'est d'abord un moyen pratique de garder, pour votre usage ou celui de vos camarades, une trace précise de vos lectures.

I. — La fiche brève pour la bibliothèque de la classe ou de l'établissement

- **Déterminez son format et sa présentation.**
  En haut doivent figurer très lisiblement le titre de l'ouvrage et le nom de l'auteur. L'ensemble des fiches, rédigées sur papier solide, sera placé dans une boîte rigide et laissé à la disposition de tous les usagers de la bibliothèque.

- Chaque fiche, rédigée par vos soins à mesure de vos lectures, pourra comporter deux grandes parties :

— **un résumé de l'ouvrage** qui rappelle, par exemple, l'essentiel de l'action en une dizaine de lignes ;

— **vos appréciations personnelles** : Comment jugez-vous l'ouvrage ? Quel en est l'intérêt essentiel ? Quels sont les passages les plus intéressants ? Quelles critiques formulez-vous ?

II. — Le compte rendu détaillé d'un ouvrage documentaire

Vous avez lu un ouvrage consacré à une question qui vous intéresse : exploration, aviation, connaissance d'un pays... Quels sont les points que votre compte rendu devra éclairer ?

Réfléchissez en petits groupes et cherchez une réponse à cette question avant de lire la suite. Comparez ensuite avec nos suggestions.

Suggestions . Les points suivants pourront être abordés :

1. **L'auteur :**
   Quelques brèves indications suffisent sauf s'il s'agit d'un spécialiste connu.
2. **Nature de l'ouvrage :**
   Etude, enquête, essai... — ouvrage technique, historique, géographique...
3. **Contenu de l'ouvrage :**

— quel est le thème général ?

— combien de pages ? Combien de chapitres ?
— quelles sont les principales questions abordées ? Quel est le plan suivi ?
— qu'est-ce qui vous a paru le plus intéressant ?

4. **Appréciation d'ensemble** :
Valeur et intérêt de cet ouvrage. A qui en recommandez-vous la lecture ?

III. — Le compte rendu détaillé d'un roman

Déterminez là encore sa présentation qui peut varier. Voici, toutefois, le plan que nous vous suggérons de suivre en gardant apparents les titres essentiels afin de faciliter la lecture de votre compte rendu :

■ **L'AUTEUR** :

A quelle époque a-t-il vécu ? Quelles sont ses œuvres principales ?

■ **L'OUVRAGE** :

1. **Nature de cet ouvrage** : contes, nouvelles, récit historique, roman (roman d'aventures, roman policier, roman historique, roman psychologique...), etc.
2. **Le cadre** : Où se déroule l'action ? A quelle époque ? Dans quel milieu social (paysan, ouvrier, bourgeois...) ?
3. **L'action** :

— Résumez d'abord l'ensemble de l'action en une dizaine de lignes : n'oubliez rien d'essentiel ; négligez le détail.
— Distinguez ensuite, avec plus de précision, les différents moments de l'action : quelle est la situation de départ ? Quels sont les principaux événements ? Comment l'action se dénoue-t-elle finalement ?
— Jugez cette action : vous paraît-elle logique ? Vraisemblable ? Bien conduite ? Intéressante ?...

4. **Les personnages** :

— Présentez les principaux personnages : dégagez leurs traits de caractère, leur personnalité, leurs problèmes... Quels sont les traits de caractère qui ont un rôle décisif dans le déroulement de l'action ?
— Quelles sont les relations entre ces personnages ?
— Jugez ces personnages. L'auteur les a-t-il bien campés ? D'une façon vivante ? Vous intéressez-vous à eux ? Pourquoi ?

5. **Les thèmes et les problèmes** :

— Essayez d'exprimer clairement **les problèmes** qui vous semblent posés par cet ouvrage (psychologiques, sociaux...). Pensez-vous que l'un de ces problèmes pourrait faire l'objet d'un débat ?

— Quelles sont, d'après vous, les **intentions de l'auteur** : raconter simplement une histoire, critiquer, faire réfléchir ?...

■ **Jugement personnel sur l'ensemble de l'ouvrage** :

— Qu'avez-vous aimé ? Pourquoi ?
— Quelles critiques formulez-vous ?

LE RAPPORT*

Un rapport est d'abord un compte rendu : comme lui il relate les faits, expose une situation... Mais il est plus qu'un compte rendu. Le rédacteur d'un rapport doit, en effet :

1. Exposer la situation :
2. En faire l'analyse critique (points positifs - points négatifs).
3. Proposer des solutions, des améliorations, des remèdes.

Le rapport intervient dans des situations extrêmement diverses de la vie sociale et professionnelle.

Exemples : *On peut vous demande un rapport sur le fonctionnement de votre atelier ou de votre service, sur les activités d'une association à laquelle vous appartenez, sur l'état de vos travaux, etc...*

I. — Le plan et le contenu d'un rapport

■ Exemple 1 : Le conseil d'administration de votre établissement va se réunir. Il demande aux délégués de présenter un rapport sur le fonctionnement du foyer socio-éducatif (ou de la bibliothèque).

1. *Exposé de l'organisation actuelle.*
2. *Analyse critique de cette organisation :*
   — *les points positifs ;*
   — *les problèmes et les points négatifs.*
3. *Projet de réorganisation.*

■ Exemple 2 : Un accident est survenu lors de l'utilisation d'une machine dans un atelier dont vous êtes responsable. Vous rédigez un rapport.

1. *Exposé de l'accident.*
2. *Recherche des causes de cet accident :*
   — *les causes essentielles ;*
   — *les causes accessoires.*
3. *Recherche des remèdes (quelles modifications apporter ou quelles précautions prendre pour éviter le retour de tels accidents ?)*

■ En conclusion de ces deux exemples...

Constatons que le rapport demandé est destiné à une autorité ou à une collectivité qui va prendre une décision. C'est donc un document de travail précis que vous allez placer entre ses mains : elle doit y trouver d'abord toutes les informations dont elle a besoin sur les faits ou sur la situation que vous avez été chargé d'étudier ; vous faciliterez également sa tâche en analysant ces faits et en présentant des propositions d'action.

* Corrigé page 177.

Plan du rapport

Il résulte de ces besoins du destinataire. Il comporte donc, le plus souvent, trois parties :

1re partie : exposer les faits ou la situation

— Vous devez donc réunir vous-même toutes les informations nécessaires, vérifier leur exactitude, les classer et bâtir ainsi un développement ordonné, clair et précis.

2e partie : analyser et juger

Il s'agit là :
— de déterminer les causes, les conséquences ;
— de dégager les points critiques, les problèmes posés.

Désormais vous ne vous contentez plus de relater ce qui est, mais vous prenez position. Faites-le avec lucidité, avec esprit critique mais avec prudence : pas de jugement hâtif. Soyez objectif mais convaincant : vous vous proposez d'amener le destinataire à partager votre point de vue sur les événements.

3e partie : présenter des propositions d'action

Il s'agit là :
— de présenter des solutions, des mesures à prendre, des améliorations à apporter...
— de bien dégager l'intérêt de ces solutions et de ces mesures, afin d'en convaincre vos lecteurs.

Ne proposez pas des solutions « en l'air » ; examinez-les longuement : sont-elles vraiment réalisables ? Peuvent-elles réellement permettre de résoudre le problème posé ?

II. — La rédaction d'un rapport

Un rapport n'est pas un récit ni un roman ; il ne s'agit donc pas d'exprimer des émotions et des sentiments ni de traduire ses impressions d'une façon pittoresque. Un rapport est un document de travail : ses qualités essentielles sont l'exactitude, la clarté, la netteté, la précision.

1. L'introduction

Sans mots inutiles, elle doit :
— Préciser brièvement les circonstances. Pourquoi ce rapport ? A quel propos est-il rédigé ?
— Déterminer clairement l'objet. Quelle est la question traitée ? Quel est le problème à résoudre ?
— Annoncer le plan.

• **Exemple 1** : *Voici l'introduction d'un rapport présenté sous forme d'exposé.*

« Chargé, lors de la dernière réunion du Club Alpin, en septembre, d'étudier avec précision les possibilités d'installation d'une école d'escalade dans la région, je voudrais vous faire part du résultat de mes recherches et des solutions que je préconise. »

- **Exemple 2** : *Voici l'introduction d'un rapport présenté sous forme de lettre.*

« Monsieur le Directeur,

Vous avez bien voulu me confier la mission d'étudier le fonctionnement de nos services et de dégager les mesures propres à en améliorer l'efficacité. J'ai conduit à cet effet un certain nombre d'enquêtes et je me permets, aujourd'hui, de vous soumettre mes conclusions. »

- Dégagez les différentes indications qu'apporte chacun des deux rapports précédents.

2. La première partie

Exposé des faits et de la situation, elle doit être absolument objective et impersonnelle : vous vous effacez devant les faits que vous rapportez dans le seul souci d'informer votre lecteur.

3. La deuxième partie

Examen critique de la situation, des faits, elle doit manifester vos qualités de jugement et de logique.

Votre pensée sera nuancée ; vous emploierez des expressions adaptées à votre degré de certitude.

Exemple : *Classez les expressions suivantes selon le degré de doute ou de certitude qu'elles traduisent :*
il est certain que... il est possible que... il se pourrait que... il semblerait que... on peut supposer que... il est vraisemblable que... nous croyons... nous avons constaté... nous supposons... il nous est apparu...

4. La troisième partie

Les propositions d'action de la 3ᵉ partie doivent être formulées dans des termes mesurés qui révèlent qu'il s'agit bien d'avis, de suggestions. Vous n'avez pas en, effet, pouvoir de décider. Mais vous tenterez d'être rigoureusement logique et le plus convaincant possible.

Exemple : *Voici quelques tours usuels pour introduire des propositions dans un rapport. Étudiez-les : Quel est le mode le plus souvent employé ? Pourquoi ? Montrez, en particulier, en quoi ces tours révèlent bien qu'il ne s'agit là que de suggestions.*

1. *Il serait souhaitable... il serait préférable... il serait nécessaire... il serait utile... il serait opportun... (employez à votre tour chacune de ces expressions dans de brèves phrases).*
2. *Il y aurait lieu de... on pourrait envisager... il faudrait...*
3. *Nous estimons qu'il y aurait lieu de renforcer le dispositif de sécurité. En particulier, le personnel devrait, à notre avis, porter obligatoirement un casque lors des travaux de ce genre...*
4. *Nous pensons qu'un certain nombre d'améliorations pourraient être apportées au fonctionnement du foyer et nous suggérons, en particulier...*

III. — Exercices d'application

(1) La bibliothèque de votre établissement : ses ressources, son fonctionnement, les améliorations à apporter. Rédigez le rapport.

(2) Les conditions de travail dans votre atelier, dans votre service ou sur votre chantier. Rédigez le rapport.

(3) Rédigez un rapport sur les activités de loisirs des jeunes dans votre quartier ou dans votre village.

(4) Dressez un rapport sur le problème du stationnement des voitures dans votre ville ou dans votre quartier : ce qui est (les solutions en cours) ; les difficultés et les problèmes ; les solutions que vous proposez.

(5) Vous appartenez à un club qui a décidé de faire l'acquisition d'un magnétophone. Vous êtes chargé d'étudier les différents modèles (leurs avantages - leurs inconvénients), et de rédiger un rapport afin de permettre à vos camarades de prendre une décision éclairée :
— les modèles offerts sur le marché ;
— la solution que vous suggérez.

4e partie

COMMENT TRAITER UN SUJET

QUELQUES INDICATIONS INDISPENSABLES POUR TRAITER UN SUJET

I. — Le sujet proposé

■ Le sujet général traditionnel est libellé en quelques lignes. Il pose un problème et formule des indications de travail.

Exemples :

Le problème posé	*Les indications de travail*
1. Le philosophe Alain, pour le Nouvel An, souhaitait à ses amis de la « bonne humeur ».	*Expliquez ce vœu et montrez à l'aide d'exemples précis que la bonne humeur joue un rôle important dans notre vie.*
2. Les voyages connaissent aujourd'hui un regain de faveur. Chacun veut d'abord découvrir son propre pays ; beaucoup même partent au-delà des frontières vers d'autres horizons.	*Pensez-vous que ces voyages puissent apporter un enrichissement personnel à ceux qui les accomplissent ?*

■ Il est demandé au candidat de répondre au sujet posé par un développement suivi dont la longueur varie selon le temps laissé à l'examen ou au concours.

Ce développement peut comporter, dans certains cas, des éléments de description ou de récit mais il exige, de toute façon, que le candidat exprime ses réflexions et ses sentiments.

II. — Qu'exige-t-on du candidat ?

■ On ne lui demande pas d'apporter au sujet une réponse toute faite ni de tenter d'être de l'avis supposé du correcteur : des positions très diverses sur le même sujet peuvent être toutes excellentes si elles sont appuyées par des arguments solides.

■ Le candidat sera jugé :
— sur l'intérêt des idées exposées,
— sur son aptitude à organiser son développement (plan),
— sur la correction et la clarté du style,
— sur la présentation et l'orthographe.

III. — Conseils

1. Construisez un développement clair et logique qui se propose de convaincre le lecteur, et ne vous contentez pas d'aborder quelques idées en désordre au fil de la plume.

2. Attention ! Le sujet fixe le travail qui vous est demandé :
— traitez exactement le sujet (ne passez pas « à côté ») ;
— traitez tout le sujet (n'en oubliez pas une partie) ;
— ne traitez que le sujet (n'abordez pas de questions étrangères).

3. Exprimez-vous avec correction, clarté et précision.

4. Justifiez chacune de vos affirmations par des exemples et des arguments.

5. Veillez à l'orthographe, à la ponctuation et adoptez une présentation matérielle soignée :
— écrire très lisiblement ; pas de ratures ; pas d'encres de couleurs différentes,
— aller à la ligne pour chaque paragraphe mais ne pas y aller sans raison,
— sauter une ligne après l'introduction, une ligne entre chaque grande partie du devoir, une ligne avant la conclusion.

UN PLAN DE TRAVAIL MÉTHODIQUE

Vous voici devant une feuille blanche en tête à tête avec le sujet à traiter. Attention ! Ne partez pas au hasard ! Il apparaît nécessaire de passer successivement par quatre étapes.

- **1re étape**
Bien comprendre le sujet et en dégager les questions auxquelles il faut apporter des réponses :
— éclairer mot à mot toute la signification du sujet ;
— bien déterminer les consignes de travail qui vous sont données ;
— aboutir à quelques questions précises.
- **2e étape**
Rechercher les idées qui vont nourrir votre développement :
— adopter un plan de recherche ;
— consacrer une feuille différente pour chaque direction de recherche.
- **3e étape**
Classer les idées que vous avez dégagées sous forme d'un plan net et détaillé :
— classer les idées par catégories :
— déterminer les divisions et les subdivisions de votre plan.
- **4e étape**
Rédiger avec application en gardant votre plan sous les yeux.

Lors de cette 4e étape :

■ Rédiger parallèlement l'introduction qui sera votre point de départ et la conclusion qui sera votre point d'aboutissement : elles sont complémentaires.

■ Rédiger votre développement paragraphe par paragraphe en ayant le souci de bien faire apparaître, pour le lecteur, l'enchaînement logique d'une idée à l'autre.

■ L'élaboration du devoir proprement dit est achevée. Il vous reste cependant :

1 : à relever au net avec application : écrivez lisiblement et évitez les ratures ;

2 : à relire une dernière fois avant de remettre votre travail au correcteur. En particulier, recherchez les fautes d'orthographe qui auraient pu se glisser dans votre devoir.

■ Les chapitres suivants traitent chacune des étapes.

1re étape :

BIEN COMPRENDRE LE SUJET ET EN DÉGAGER LES QUESTIONS AUXQUELLES IL FAUT APPORTER DES RÉPONSES*

I. — Une méthode

Il est indispensable de consacrer un temps suffisant à l'analyse attentive du sujet ; chaque mot a sa valeur. Une lecture hâtive comporte deux risques graves :
— soit ne traiter que l'un des aspects du sujet et le devoir ne répond qu'en partie à ce qui est demandé ;
— soit engager tout le développement dans une fausse direction, faute d'avoir bien saisi le sens même du sujet.

Pour éviter de telles erreurs, nous vous proposons de procéder en trois temps :

1. Lisez lentement le sujet deux ou trois fois pour **en dégager le sens général** que vous essayez de reformuler pour vous, mentalement ou à voix haute.
2. Reprenez-le ensuite **en dégageant le sens précis de chaque mot, de chaque phrase.** Ne laissez aucun point dans l'obscurité ou dans le vague. A cette étape, il faut éclairer toute la signification, tous les aspects.
3. Récapitulez avec netteté.

— De quoi est-il exactement question ? Soulignez les mots essentiels et, en prenant appui sur eux, traduisez oralement le sujet en clair dans votre propre langage.
— Que vous demande-t-on en définitive ? Formulez un certain nombre de **questions précises** auxquelles vous aurez à répondre.

II. — Un exemple

Considérons le sujet suivant : **« Pensez-vous que le sport, pratiqué par les jeunes, puisse contribuer à leur formation morale ? Pourquoi ? »**

— *L'expression « pensez-vous » est une invitation à donner votre opinion personnelle.*

* Corrigé page 178.

Comme une opinion n'est jamais d'une pièce, il vous faudra examiner **« le pour »** *et* **« le contre ».**

— *Les mots clés à souligner et à parfaitement éclairer dans leur signification sont :* **sport, jeunes, formation morale.**
Evoquez des sports précis et distinguez bien le sport du simple exercice physique ; notez aussi qu'il s'agit du sport **« pratiqué ».**
Précisez bien ce que l'on entend par « formation morale » : c'est une expression essentielle ; elle écarte les avantages « physique » du sport (muscles, souplesse, souffle...) ; elle invite à rechercher les qualités du caractère et de la personnalité que peut développer le sport.

— *En récapitulant, on peut formuler le sujet ainsi, dans son langage : « Dans quelle mesure la pratique du sport peut-elle développer les qualités morales des jeunes ? »*

Et cette question générale peut se diviser en un certain nombre de questions précises qui vont diriger votre recherche d'idées :

1 : *La pratique du sport peut-elle développer les qualités morales de la jeunesse ? Lesquelles ? Comment ?*

2 : *Mais la pratique du sport ne risque-t-elle pas aussi de développer certains défauts ? Lesquels ? Comment ? Dans quels cas ?*

III. — Des exercices

Pour chacun des sujets suivants, appliquez la démarche en trois temps que nous vous avons proposée et formulez les questions précises auxquelles vous auriez à répondre.

(1) La télévision prend de plus en plus d'importance dans la vie moderne. La préférez-vous à la lecture qui exige un effort personnel plus soutenu ? Pourquoi ?

(2) Un siècle de machinisme permet de juger ce que la machine apporte à l'homme et les opinions, sur ce point, diffèrent. Pensez-vous que la machine aide à libérer l'homme ? La mécanisation de la vie peut-elle apporter plus de bonheur à l'humanité ?

2e étape :

RECHERCHER LES IDÉES QUE VOUS AUREZ A DÉVELOPPER*

I. — Une méthode et un exemple

Comment procéder ?

1. **Déterminez d'abord les différents points** que vous devez envisager tour à tour, c'est-à-dire tracez-vous **un plan de recherche.** Il est constitué par les questions précises auxquelles vous avez abouti en analysant le sujet.
2. **Consacrez une feuille de brouillon** différente pour chacun de ces points et notez sur chaque feuille toutes les **idées qui se présentent spontanément à votre esprit.**

— Notez chaque idée l'une sous l'autre afin de bien la distinguer de la précédente.
— Ne cherchez pas à rédiger définitivement.

3. **Reprenez chacune des idées spontanément notées et tirez-en des idées nouvelles** (par des questions précises).

Exemple : Comme avantage du sport vous avez noté **« développe la volonté ».** C'est une **idée d'ensemble** d'où l'on peut facilement tirer des idées de détail qui vous permettront de préciser et d'enrichir votre développement.

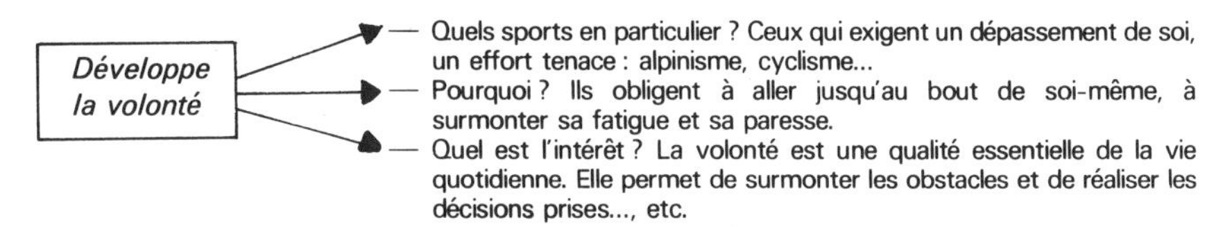

— Quels sports en particulier ? Ceux qui exigent un dépassement de soi, un effort tenace : alpinisme, cyclisme...
— Pourquoi ? Ils obligent à aller jusqu'au bout de soi-même, à surmonter sa fatigue et sa paresse.
— Quel est l'intérêt ? La volonté est une qualité essentielle de la vie quotidienne. Elle permet de surmonter les obstacles et de réaliser les décisions prises..., etc.

II. — Des exercices

(1) Pour chacun des sujets suivants précisez quel plan de recherche provisoire vous adopteriez ?

1. Les méfaits de l'alcoolisme. — **2.** Pensez-vous que les voyages soient utiles aux jeunes ? — **3.** Certains prétendent qu'on peut arriver à tout avec de la volonté. Qu'en pensez-vous ?

*** Corrigé pages 178 et 179.**

(2) Comparez sur deux colonnes en notant simplement les idées, sans phrase, l'une sous l'autre (inconvénients, avantages, points positifs, points négatifs).

1. La vie dans une grande ville et la vie à la campagne. — **2.** Le travail de l'artisan et le travail de l'ouvrier d'usine.

(3) Considérez que chacune des affirmations suivantes est une première idée d'ensemble. Cherchez quelles idées de détail vous pourriez en tirer.

1. Les voyages nous font découvrir le monde. — **2.** Les loisirs offrent à l'homme la possibilité de se cultiver.

3e étape :

CLASSER LES IDÉES QUE VOUS AVEZ DÉGAGÉES SOUS FORME D'UN PLAN NET ET DÉTAILLÉ*

Quand vous avez réuni tous les matériaux nécessaires à votre devoir, il s'agit de les classer selon un ordre logique. Vous devez aboutir à un plan détaillé dont toutes les parties seront numérotées : pour rédiger, il vous suffira alors de traduire en phrases chacun des points.

I. — Un exemple de plan détaillé

Reprenons le sujet *« Pensez-vous que le sport, pratiqué par les jeunes, puisse contribuer à leur formation morale ? Pourquoi ? »*. Voici comment pourrait se présenter sur votre brouillon le plan détaillé auquel vous pourriez aboutir.

A. Le sport peut contribuer à la formation morale des jeunes.

1 : Il développe certaines qualités individuelles :
— en fortifiant le corps, il peut apporter dynamisme, goût de vivre, confiance en soi ;
— il fortifie l'aptitude à l'action en développant :
- l'esprit de décision,
- la volonté, l'énergie,
- la combativité, le goût de la difficulté vaincue.

2 : Il développe également certaines vertus sociales :
— l'esprit de discipline :
- discipline de vie exigée par l'entraînement sportif,
- discipline à l'égard de l'entraîneur ou du capitaine de l'équipe ;

— l'esprit d'équipe :
- sens de la solidarité,
- l'intérêt de l'équipe l'emporte sur l'intérêt individuel.

B. Mais le sport peut aussi présenter des dangers pour la formation morale.

1 : Dangers résultant d'une mauvaise conception de l'esprit sportif :
— école de vanité (recherche des ovations, des titres, des victoires...) ;
— encouragement à l'agressivité ;
— esprit de clocher.

2 : Dangers résultant d'une pratique abusive du sport :
— épuisement physique et nerveux compromettant l'équilibre moral ;
— fascination par un idéal de « bel animal » (être sain et musclé). Ceci éloigne de la vie culturelle, affective et d'un véritable épanouissement humain ;
— absorption par le sport qui peut détourner de l'étude ou de toutes les autres formes de loisirs.

* **Corrigé page 179.**

II. — Comment construire votre plan

1 : Mettez de l'ordre dans les feuilles de brouillon où vous avez noté vos idées :
— rapprochez celles qui appartiennent à la même catégorie ;
— donnez un titre à chacune de ces catégories.

2 : Déterminez ensuite les grandes divisions de votre devoir (2 ou 3) et classez-les dans un ordre logique.

3 : Déterminez les subdivisions intérieures de chacune des grandes parties et classez-les également dans un ordre logique.

III. — Des exercices

(1) Voici des idées notées « en vrac » concernant les « avantages des loisirs à la montagne ». Regroupez ensemble celles qui ont une parenté, un point commun : chaque ensemble formera une catégorie à laquelle vous donnerez un titre.

1 : silence = détente nerveuse
2 : effort physique intense
3 : paysage exaltant
4 : climat tonique
5 : difficultés de l'escalade qui fortifient le caractère
6 : sentiment de liberté
7 : stimule l'oxygénation
8 : développe l'endurance
9 : tranquilité morale
10 : esprit d'équipe dans les cordées
11 : camaraderie
12 : observation et découverte d'un milieu naturel (hommes, bêtes et plantes)

(2) Quelles sont les grandes divisions du plan que vous adopteriez pour traiter chacun des sujets suivants ?

1 : Quels sont les différents aspects que peut revêtir la pollution qui nous menace ? Comment peut-on essayer de remédier à cette situation ?

2 : On a souvent fait le procès des grands ensembles d'habitations en déclarant que, simples « machines à loger », ils ne pouvaient permettre à l'homme de s'épanouir. Qu'en pensez-vous ?

3 : Ceux qui sont opposés au travail féminin affirment : « Le rôle d'une femme est de s'occuper de ses enfants et de rester à la maison. » Que pensez-vous d'une telle déclaration ?

4e étape :

COMMENT RÉDIGER INTRODUCTION ET CONCLUSION*

I. — L'introduction

Dans toute dissertation une introduction (5 à 6 lignes) précède le développement proprement dit. Elle a deux fonctions :
— **présenter le sujet** que vous allez traiter car il faut supposer que le lecteur ne l'a pas lu ;
— **annoncer le plan** que vous allez suivre dans votre développement.

■ Un exemple explicatif

Imaginons que vous ayez à traiter le sujet : « Quelles sont, à votre avis, les causes des accidents de la route ? » Voici une introduction possible.

« L'automobile apparaît comme le plus meurtrier des moyens de transport. C'est ainsi qu'à distance égale le risque de mort est dix fois plus élevé sur la route que par la voie ferrée ou par la voie aérienne.

1re étape : Une idée générale de départ (les deux premières phrases).

On comprend dès lors que l'opinion publique s'inquiète et s'interroge sur les causes d'accidents aussi nombreux et aussi graves.

2e étape : L'énoncé de la question à traiter (troisième phrase).

Faut-il incriminer les défauts du véhicule ? Ceux de l'organisation du réseau routier et de la surveillance du trafic ? Faut-il considérer surtout les erreurs humaines qui font d'un homme au volant un danger ?

3e étape : L'annonce des grandes lignes du plan (ici trois parties sont annoncées).

■ La construction de l'introduction

Nous l'avons vu dans l'exemple précédent : on peut reconnaître, en général, trois brèves étapes dans l'introduction.

1 : **Une idée générale** reliée au sujet d'une façon directe et qui a pour fonction de révéler l'importance ou l'actualité du problème que vous allez traiter.

2 : **L'énoncé de la question à traiter,** déduite de l'idée générale, doit formuler avec netteté le problème posé par le sujet. Mais attention ! ne reprenez pas les termes mêmes du sujet qui vous est soumis.

3 : **L'annonce des grandes lignes de votre plan** indique au lecteur

* Corrigé page 180.

l'itinéraire qu'il va suivre.

- **Des écueils à éviter**

— Ne faites pas de l'introduction une conclusion en apportant déjà des réponses au problème posé. L'introduction doit rester interrogative, au moins dans son esprit.

— Présentez votre plan avec adresses, sans l'annoncer lourdement. Ainsi vous ne direz pas « Voici le plan que nous allons suivre » ou « Dans une première partie nous allons étudier ceci, dans une seconde partie cela ».

— N'annoncez pas un plan que votre développement ne suivrait pas.

■ Des exercices

(1) **Rédigez l'introduction qui correspondrait au sujet suivant** : « Quels bénéfices l'homme peut-il espérer de l'exploitation des grands fonds marins ? »

Plan proposé :
1. une meilleure connaissance scientifique ;
2. l'exploitation de ressources nouvelles.

(2) **Rédigez l'introduction qui correspondrait au sujet suivant** : « La politesse, considérée par certains jeunes comme une pratique démodée, est-elle, à votre avis, nécessaire à la vie sociale ? »

II. — La conclusion

A la question de départ posée par l'introduction, la conclusion (5 ou 6 lignes) doit apporter une réponse d'ensemble nuancée mais nette qui marque l'aboutissement de votre réflexion. Elle fixe ainsi clairement votre position personnelle à l'égard du problème abordé.

■ Un exemple explicatif

Voici une conclusion possible qui correspondrait au sujet précédent : « Quelles sont, à votre avis, les causes des accidents de la route ? »

« Ainsi, dans leur tragédie quotidienne, les accidents de la route sont imputables à des causes diverses. L'insuffisance du réseau routier par rapport au volume de la circulation peut être incriminée ; le véhicule aussi, trop puissant peut-être, et qui incite à des excès de vitesse. Mais c'est l'homme au volant, surtout, qu'il faut mettre en procès, l'homme qui ne sait pas utiliser raisonnablement les pouvoirs dont la technique l'a doté.

1re étape : Synthèse des différents points traités dans le développement (les quatre premières phrases).

Qu'une telle puissance aveugle soit mise entre les mains du premier venu, n'est-ce pas inquiétant ? »

2e étape : Un bref élargissement (la dernière phrase).

□ Le déroulement de la conclusion

L'exemple qui précède révèle que la conclusion peut se dérouler en deux brèves étapes :

1. **Une synthèse indispensable** qui résume le résultat de votre réflexion tout au long du développement. Elle doit être nette afin de laisser une idée claire dans l'esprit du lecteur.
2. **Un élargissement** mais très bref qui peut révéler un prolongement possible du sujet. Il montre ainsi l'importance des problèmes soulevés.

Même sans cet élargissement souhaitable, votre conclusion restera valable si votre synthèse est claire et complète.

■ Des écueils à éviter

— Ne rédigez pas hâtivement la conclusion à la dernière minute. Elle laisse le correcteur sur une impression définitive. Rédigez donc la conclusion avant le développement dès que vous aurez bien fixé votre plan.

— Ne reprenez pas simplement votre introduction sous une forme affirmative.

— N'introduisez pas dans votre conclusion d'idée nouvelle sur la question à traiter.

— Ne résumez pas simplement dans votre conclusion la dernière partie mais bien l'ensemble de votre développement.

□ Des exercices

(3) Reprenons le sujet : « Quels bénéfices l'homme peut-il espérer des grands fonds marins ? »

— Notez vos idées au brouillon en vous inspirant du plan proposé.

— Constituez votre plan détaillé.

— Rédigez la conclusion du devoir.

(4) Même exercice pour le sujet : « La politesse considérée par certains jeunes comme une pratique démodée, est-elle, à votre avis, nécessaire à la vie sociale ? »

4e étape :

COMMENT RÉDIGER CHAQUE PARAGRAPHE*

■ **Un devoir est constitué par un enchaînement de paragraphes groupés en deux ou trois grandes parties** (chaque partie correspondant à l'une des grandes divisions de votre plan).

■ **Chaque paragraphe est une étape dans le développement de votre démonstration.** Il a son unité propre :
— une unité matérielle qui se révèle dans la disposition (on va à la ligne, un peu en retrait) ;
— une unité de pensée car chaque paragraphe est centré sur une idée principale.

■ **Un paragraphe ne doit être ni trop court, ni trop long**
— Trop court, il morcelle votre développement à l'excès, le « hache ». N'allez donc pas à la ligne sans raison mais seulement lorsque vous avez une nouvelle idée à développer.
— Trop long, il donne à votre développement une allure massive et compacte ; la lecture en est difficile.

■ **A l'intérieur d'un paragraphe les idées s'enchaînent logiquement.**

Ces enchaînements peuvent être variés et nous allons vous en soumettre quelques échantillons.

1er type de paragraphe

I. — On énonce d'abord l'idée principale et on l'illustre ensuite par des exemples et des preuves

■ **EXEMPLE 1**

« La vie du citadin devient de plus en plus difficile. Les espaces verts disparaissent peu à peu ; l'air se pollue. Les embouteillages gagnent chaque quartier où les voitures ne peuvent plus rouler normalement ; stationner représente un problème insoluble. Quant à l'exode des week-ends, il passe par le supplice, chaque semaine renouvelé, des routes encombrées à l'aller comme au retour ; entre la verte campagne et lui, l'habitant des villes rencontre un rempart d'automobiles dégageant un épais nuage d'oxyde de carbone. »

F. Murat

* Corrigé pages 180 et 181.

• Analyse

(1) Quelle est l'idée principale de ce paragraphe ? Quelle est la phrase qui exprime cette idée principale ?

(2) Combien de catégories d'exemples différents sont-elles apportées à titre de preuves de cette affirmation ?

■ EXEMPLE 2

« Par ses applications indéfinies, la technique libère l'homme de nombreux travaux ingrats et fatiguants. La mère de famille ne voit plus son rythme de vie lié à celui des lessives, l'ouvrier effectue plus rarement des tâches physiques harassantes. L'usine moderne, comme l'habitation, tendent à devenir autant de laboratoires fonctionnels, propres et fleuris, dans lesquels des appareils mécaniques effectuent des travaux qui, hier encore, écrasaient les humains. »

Henri Hartung

• Analyse

(3) Quelle est l'idée principale de ce paragraphe ? Quelle est la phrase qui exprime cette idée principale ?

(4) Quels sont les exemples apportés à titre de preuves ? Montrez que la dernière phrase du texte reprend les éléments de la phrase précédente mais en apportant un élargissement.

■ Exercices

(5) Construisez quelques paragraphes sur le modèle des deux exemples précédents : d'abord l'idée principale est énoncée ; ensuite elle est illustrée par des exemples et des preuves.

— *Idées à développer* (chacune sous forme d'un paragraphe) : Le choix d'un métier est d'une importance capitale pour un jeune. — La vie dans une grande cité est de plus en plus difficile pour une personne âgée. — Les conditions de vie des travailleurs immigrés sont souvent pénibles.

• Pour construire chacun de ces paragraphes, procédez en deux temps

1er **temps** : cherchez les exemples et les preuves sous forme d'un tableau comme celui qui suit.

Idée principale	Preuves
La bicyclette est un instrument de transport idéal pour la ville	— elle permet de se glisser partout — elle se gare sans difficulté — elle n'exige aucun carburant...

2e **temps** : rédigez le paragraphe en ayant soin de bien faire apparaître la liaison entre les idées (en outre, d'autre part, enfin, en effet...) et de varier la présentation des arguments.

Exemple : La bicyclette est un instrument de transport idéal pour la ville. En effet, ne permet-elle pas de se glisser partout ? Le cycliste se faufile entre les voitures, échappe aux embouteillages et, malgré sa modeste vitesse, l'emporte sur l'automobiliste pour de petits parcours urbains. En outre, elle se gare sans difficultés : un couloir, un réduit, un mur contre lequel s'appuyer et c'est assez. Enfin, elle n'exige aucun carburant et son prix d'achat est relativement modique. Quelle économie !

2e type de paragraphe

II. — On constate un fait puis, on l'explique

■ EXEMPLE 1

« Aujourd'hui l'homme vit partout sauf dans les régions polaires et au sommet des plus hautes montagnes du monde. Ce n'est pas le froid intense ni même l'altitude qui l'en éloigne mais la neige. Dans un milieu perpétuellement couvert de neige, les plantes ne fleurissent pas, les animaux ne peuvent se nourrir et l'homme doit chercher sa subsistance ailleurs. »

Louis Milne

(6) Quel est le fait constaté ?

(7) Quelle est la raison qui l'explique ?

(8) Comment est introduite cette explication ?

□ EXEMPLE 2

« Dans leur ensemble, les adolescents se plaisent à la pratique du sport. Il est aisé d'en saisir les raisons. Le jeu sportif permet une évasion facile à cause de l'attention qu'il réclame et qui délivre l'esprit de ses préoccupations ; ses règles dispensent d'invention personnelle ; enfin, il réalise le rêve, présent à chacun, de la force physique et de l'épanouissement corporel, source d'admiration de la part d'autrui et donc de fierté personnelle. »

d'après Guy Avanzin

(9) Quel est le fait constaté ?

(10) Combien de raisons différentes sont-elles données pour expliquer ce fait ? Vous pouvez discuter ces raisons et, éventuellement, les compléter.

(11) Par quelle liaison introduit-on l'explication ?

■ Exercices

(12) Sur le modèle des précédents, construisez des paragraphes dont chacun après avoir énoncé un fait l'expliquera par diverses raisons.

Faits à expliquer : Le citadin s'efforce, dès qu'il le peut, de rejoindre la campagne. — La télévision est, aujourd'hui, répandue dans tous les foyers. — Les jeunes aiment souvent se retrouver en bande. — La population du globe ne cesse d'augmenter...

• Pour y parvenir procéder en deux temps :

1er temps : cherchez les idées sous forme d'un tableau.

Le fait constaté	Les raisons qui l'expliquent
Les adolescents aiment le sport	— évasion facile — règles prévues (pas d'invention personnelle) — rêve de force physique...

2e temps : rédigez un paragraphe suivi en apportant le plus grand soin à la qualité de l'expression.

3ᵉ type de paragraphe

III. — On déroule les différentes étapes d'un raisonnement

Dans ce type de paragraphe, on attachera une importance toute particulière aux mots de liaison qui mettent en évidence le lien logique entre les idées.

■ EXEMPLES

1. *En France, trop de logements sont encore insalubres ou insuffisants. Cependant depuis plusieurs années, grâce à une aide financière importante de l'Etat, la situation a évolué dans un sens favorable. Malgré cela un important effort reste à accomplir dans ce domaine.*

2. *La viande est un aliment riche en protéines si nécessaires à la vie. Aussi est-elle considérée par la plupart comme un aliment indispensable. Toutefois certains ne partagent pas cette conviction et se refusent, pour des raisons morales ou hygiéniques, à la consommer.*

3. *Le mot « analphabète » est devenu, dans le langage populaire, synonyme d'ignorant. Mais la plupart des analphabètes n'éprouvent aucune honte de leur situation ; étant analphabètes, ils n'ont pas conscience de l'être et de ce que cela peut signifier pour celui qui ne l'est pas. Aussi ont-ils rarement le désir de changer d'état.*

• Analyse

(13) Chacun des paragraphes précédents développe un bref raisonnement. Séparez par un trait au crayon les différentes étapes. Cherchez ensuite à remplacer chacun des mots de liaison soulignés par d'autres mots qui ne modifieraient pas l'idée exprimée (Ex. : *cependant :* pourtant, il est vrai que, toutefois...).

■ Exercices

(14) Complétez puis rédigez les canevas suivants afin d'obtenir chaque fois un paragraphe vigoureusement construit.

a) La télévision pourrait être un puissant moyen d'éducation et de culture pour tous les hommes.
— Mais... (trouvez quelques raisons qui font obstacle à cela).
— Aussi (exprimez l'insuffisance de son action sur ce point).

b) Le téléphone est un instrument de communication très pratique.
— Mais... (montrez que chacun ne peut pas en disposer).
— Aussi... (indiquez que son usage reste encore limité).

c) La route, en France, est meurtrière.
— Cependant... (montrez les efforts accomplis par la sécurité routière).
— Malgré cela... (le tragique bilan de chaque week-end).

d) Le citadin éprouve un besoin de plus en plus vif d'espace vert et de grand air.
— C'est pourquoi... (montrez ses efforts pour rejoindre la campagne dès qu'il le peut).
— Mais... (indiquez les difficultés qu'il rencontre dans ses tentatives).

(15) Imaginez librement quelques paragraphes bien enchaînés sur des thèmes à votre choix. Chacun pourra comporter, par exemple, trois étapes. On pourra utiliser, en particulier, les mots de liaison suivants : toutefois, ainsi, il est vrai que, pourtant, c'est pourquoi, par conséquent, en effet...

4e étape :

COMMENT ENCHAINER LOGIQUEMENT LE DÉVELOPPEMENT*

A la lecture, votre devoir doit donner le sentiment d'un ensemble net, logique et bien construit. Il est donc nécessaire :

1. **de suivre le plan logique et détaillé que vous vous êtes tracé.**
   Gardez-le sous votre regard en rédigeant ; il s'agit de le traduire en phrases et de le développer.

2. **de rendre ce plan apparent dans le déroulement de votre devoir.**
   Un bon développement est signalisé comme un itinéraire par des phrases-jalons, véritables poteaux indicateurs marquant la direction de votre pensée.

3. **de lier les différents paragraphes et les différentes parties par des transitions** qui rendent immédiatement « visible » au lecteur le lien logique entre les étapes de votre développement.

I. — Chacun des paragraphes qui s'enchaînent peut introduire un aspect nouveau et complémentaire.

■ Exemple : L'agriculture française (Prévot)

« Depuis la fin de la Seconde Guerre mondiale, l'agriculture française a changé peut-être plus profondément qu'au cours des vingt siècles précédents.

Le matériel agricole est d'une efficacité croissante. Dans une ferme d'élevage bien équipée, la salle de traite électrique permet de tripler le nombre des vaches laitières confiées à un seul travailleur. Grâce à la presse à fourrages, la fenaison est faite deux fois plus vite que jadis.

Parallèlement, les rendements de la terre s'accroissent depuis vingt ans, l'agriculture devient plus intensive. Des laboratoires ont mis au point des variétés nouvelles de blé à gros rendements ; des maïs hybrides peuvent être cultivés dorénavant jusque dans le Nord du pays. La consommation d'engrais chimique a fait des progrès remarquables, de même que l'usage des herbicides et des pesticides.

En même temps qu'il transformait son exploitation, l'homme de la terre a lui-même beaucoup évolué. Des centres d'études techniques agricoles regroupent chacun quelques dizaines d'agriculteurs autour d'un technicien ou d'un ingénieur. Chacun fait part à la communauté de ses réussites ou de ses échecs et participe aux frais de recherche et d'expérimentation. Un nouveau type de paysan apparaît, capable de s'adapter sans cesse et de gérer son exploitation à la façon d'un chef d'entreprise industrielle.

* Corrigé pages 181 et 182.

Ainsi l'évolution de l'agriculture française se poursuit au sein d'une Europe verte où se cherchent des solutions d'avenir. »

• Analyse

(1) Distinguez l'introduction, la conclusion, les divers paragraphes du développement.

(2) Quelle est l'idée développée dans ce texte ? N'est-elle pas posée par l'introduction

(3) Chacun des trois paragraphes n'étudie-t-il pas un aspect de l'idée centrale développée ? Montrez-le en proposant, pour chaque paragraphe, un titre qui résume son contenu.

(4) Soulignez les mots qui assurent la liaison d'un paragraphe à l'autre.

(5) Cherchez comment est composé chaque paragraphe.

■ Exercice

(6) Sous la forme d'un bref développement aux étapes bien marquées, traitez les sujets suivants dont nous vous suggérons les paragraphes.

- 1er temps : cherchez d'abord les idées et notez-les sans souci de rédaction.
- 2e temps : rédigez avec soin en prévoyant introduction et conclusion comme dans l'exemple précédent.

a) Intérêt de la pratique du sport pour la formation des jeunes :
  1er paragraphe : formation physique (santé-force) ;
  2e paragraphe : formation morale (caractère - esprit d'équipe).

b) Intérêt de la télévision :
  1er paragraphe : pour la distraction ;
  2e paragraphe : pour l'information ;
  3e paragraphe : pour la culture.

c) Rôle de l'automobile individuelle :
  1er paragraphe : pour le travail ;
  2e paragraphe : pour les loisirs.

II. — Chacun des paragraphes qui s'enchaînent peut présenter une cause ou une conséquence d'une situation

■ Exemple :

LES CAUSES DES ACCIDENTS DE LA ROUTE (Les journaux)

« Le bilan de chaque week-end est tragiquement éloquent : la route est meurtrière et c'est là un drame national. Mais quelles sont les causes d'une telle situation ?

Certaines sont imputables au réseau routier encore insuffisant par rapport au volume croissant de la circulation. Aux heures de pointe, l'engorgement est vite atteint, créant un état d'énervement préjudiciable à l'équilibre des chauffeurs. Ici et là, subsistent encore bien des points noirs malgré l'effort de modernisation : c'est tantôt un croisement dangereux, tantôt un rétrécissement de la chaussée ou un virage brutal. Bref, la collectivité a sa part de responsabilités.

D'autres causes proviennent du véhicule lui-même. Une défaillance mécanique reste toujours possible ; en outre, la stabilité des automobiles et leur capacité de freinage sont souvent loin d'être adaptées aux performances abusives qu'elles peuvent réaliser.

Mais ce sont, sans doute, les conducteurs qui sont les principaux responsables des accidents. L'imprudence, la griserie de vitesse, le désir de manifester sa puissance, l'inconscience, l'alcoolisme : autant de raisons qui peuvent inciter à rouler au-delà de ses possibilités et à négliger la discipline imposée par le Code de la route. Et même chez les plus sages, des défaillances peuvent surgir. Il suffit d'un moment d'inattention, d'un mauvais réflexe et c'est l'inévitable !

Ainsi les causes des accidents de la route sont multiples et complexes et c'est pourquoi il est si difficile de trouver des solutions efficaces. »

• Analyse :

(**7**) Distinguez l'introduction, la conclusion et les divers paragraphes du développement.

(**8**) Quelle est la question posée par l'introduction ? Montrez que chaque paragraphe apporte un élément de réponse à cette question et résumez par un titre chacun de ces paragraphes.

(**9**) Utilisant les titres que vous avez trouvés, présentez le plan détaillé de ce texte.

■ Exercices

(**10**) **Vous inspirant de l'exemple précédent, traitez chacun des sujets suivants** :

- 1er temps : cherchez les idées, notez-les sans souci de rédaction et classez-les par catégories.
- 2e temps : rédigez ensuite, avec le plus grand soin, une introduction, un développement (qui comportera un paragraphe pour chaque catégorie de causes ou de conséquences), une conclusion.

1. Les Français lisent peu en dehors de leur journal. Quelles sont, d'après vous, les causes de cette situation ?

2 : Partout se développent les « supermarchés ». Quelles sont les causes du succès rencontré par ces magasins à grande surface ?

III. — Les différentes parties d'un développement peuvent s'opposer pour révéler les aspects contradictoires d'une même question

■ Exemple :

LA LECTURE EN FRANCE (d'après Geneviève CACÉRÈS)

« La situation de la lecture en France suscite des espérances mais aussi des inquiétudes.

Certes, de grands progrès ont été réalisés dans le domaine de la diffusion du livre. Le nombre des collections de poche n'a cessé d'augmenter, recouvrant peu à peu tous les domaines de la connaissance et de la littérature. Par elles le livre, d'un prix réduit, est mis à la portée d'un plus large public, celui des jeunes en particulier. Parallèlement, il pénètre partout : dans les supermarchés, les kiosques, les villages de vacances, les clubs de loisirs.

Cependant les statistiques révèlent que 58 % des Français ne lisent jamais de livres et que le nombre de prêts par habitant en France reste bien inférieur à celui des pays étrangers. En outre, des propos alarmants s'élèvent ici et là : la télévision ne va-t-elle pas faire reculer le livre ? Le rythme de la vie contemporaine est-il favorable à la lecture ?

Ainsi cet irremplaçable instrument de culture, le livre, s'il a bénéficié de vigoureux efforts de diffusion, est loin d'avoir conquis en France le rayonnement nécessaire. »

• Analyse :

(**11**) Distinguez l'introduction, la conclusion, les deux paragraphes du développement.

(**12**) L'introduction ne laisse-t-elle pas attendre deux parties en opposition ? Pourquoi ?

(**13**) Donnez, aux deux paragraphes du développement, des titres qui révèlent leur opposition.

(**14**) Cherchez quels sont les mots de liaison qui peuvent marquer l'opposition entre deux parties d'un développement : cependant (ici, dans le texte), pourtant...

■ Exercices

(**15**) Traitez les sujets suivants en construisant deux paragraphes en opposition :

- 1er temps : cherchez d'abord les idées et notez-les sans souci de rédaction.
- 2e temps : rédigez avec soin en prévoyant introduction et conclusion.

1 : La circulation automobile dans les grandes villes :
— ce qui a été fait ;
— les problèmes qui continuent à se poser.

2 : Les problèmes du logement en France :
— ce qui a été fait ;
— les problèmes qui continuent à se poser.

3 : Les efforts de la société en faveur de la jeunesse :
— les mesures positives ;
— les points négatifs qui subsistent.

5e partie

COMMENT RÉPONDRE A DES QUESTIONS SUR UN TEXTE

UN AUTRE TYPE DE SUJET : COMMENT LE TRAITER ?*

A un nombre croissant d'examens et de concours, un texte est soumis aux candidats ; il est suivi de trois ou quatre questions auxquelles il s'agit de répondre.

I. — Un exemple de sujet donné à un examen

■ Exemple :

LA SEULE MANIÈRE DE BIEN VISITER...

L'automobile est un excellent et agréable engin de transport rapide d'un point à un autre, mais un détestable moyen d'investigations. Jamais on n'a tant voyagé, et jamais aussi les gens n'ont moins profité de leurs voyages. Ces malheureux qui avalent pêle-mêle des kilomètres et des sauces sophistiquées dans des auberges d'opéra-comique traversent la moitié de la France, 6 provinces, 30 villes, 400 villages, 20 siècles d'histoire, de légendes, de coutumes, de vieux terroir, de finesse paysanne, sans en retirer d'autres souvenirs que ceux d'un embarras gastrique et de trois pneus crevés.

C'est presque une banalité de répéter que la seule manière adéquate de visiter certaines régions, c'est de les parcourir à pied. D'abord, parce que la marche en elle-même aiguise à la fois l'appétit et l'intellect autrement que les coussins d'une automobile, et place naturellement le voyageur dans un état de réceptivité qui multiplie l'intérêt de tout ce qu'il rencontre. Ensuite, parce que ce moyen-là est lent, exige un effort personnel, permet d'entrer en contact avec les choses et les gens d'une manière progressive et intime. Et ceci est encore plus agréable qu'ailleurs, en montagne, où l'extrême diversité des aspects, l'abondance des détails pittoresques ou humains sont dignes d'attirer à chaque instant l'attention de l'observateur. A pied, un arbre est un arbre avec sa peau rugueuse, une fourmilière peut être entre deux racines et un écureuil charbonnier dans les branches. En voiture, c'est une ombre parmi des centaines d'ombres toutes pareilles, quelque chose qui ne mérite même pas un regard. A pied, tout prend un sens, tout chante son petit couplet. Chaque brin d'herbe a son criquet ; une montée monte. Une source, c'est une aubaine délicieuse. Un faucheur dans un pré, c'est un homme et non un vague accessoire à peine entrevu. Le monde se subdivise à l'infini, révèle à chaque seconde des visages dont on ne soupçonnait même pas l'existence, éveille l'intérêt par cent détails inattendus. Mais la vitesse unifie tout.

(SAMIVEL, L'amateur d'abîmes)

□ Questions

(1) Expliquez : a) « délestable moyen d'investigation » ; b) « sauces sophistiquées » ; c) « auberges d'opéra comique » ; d) « finesse paysanne » ; e) « état de réceptivité » (6 points).

(2) A votre choix (6 points)
— soit dégagez de façon précise et brève les idées essentielles du texte ;
— soit résumez ce texte en une dizaine de lignes au plus.

(3) L'auteur adresse certaines critiques à l'automobile. Vous prendrez position à votre tour en précisant en une trentaine de lignes quels avantages et quels inconvénients présente, à votre avis, cet instrument de transport individuel moderne (8 points).

* **Corrigé pages 183 et 184.**

II. — Analyse des questions posées

■ Ces questions sont essentiellement de trois types

1. Certaines questions vous invitent à expliquer des mots et des expressions du texte : ainsi la première question du texte précédent.

• **Comment procéder** ? Vous trouverez toutes indications dans la leçon qui suit.

2. D'autres questions concernent plus directement les idées. Il peut vous être demandé selon le cas, comme dans la deuxième question du texte précédent :

— de dégager les différentes idées ou le plan suivi ;
— de résumer, etc.

• **Comment procéder ?** Vous trouverez toutes indications utiles à la page 85 (« s'exercer à dominer un texte par une lecture active ») et à la page 97 (« méthode pratique pour résumer un texte d'idées ou d'informations »).

3. Enfin, la dernière question, vous invite en fait à rédiger un développement personnel suivi sur un sujet : c'est une petite discussion qui doit comporter :

— une introduction ;
— un développement abordant logiquement les différents points ;
— une conclusion.

• **Comment procéder** ? Toutes les indications de la 4e partie (p. 56)

III. — Méthode de travail

Pour traiter un tel sujet nous vous proposons de procéder en quatre étapes :

■ 1re étape : A travers une première lecture d'ensemble, dégagez le sens général du texte qui vous est soumis.

■ 2e étape : Prenez connaissance des questions qui vous sont posées.

1) Isolez d'abord la question qui vous invite à un développement personnel : vous la traiterez à part, comme une « rédaction ».
Mais prenez garde : c'est elle qui comporte en général le plus fort coefficient. Réservez pour la traiter au moins un tiers du temps global dont vous disposez.

2) Soulignez dans le texte, au crayon, les mots ou les expressions dont il vous est demandé d'expliquer le sens.

3) Pour les autres questions, cherchez oralement en trois ou quatre minutes et sans vous reporter au texte, les éléments de réponse que vous seriez actuellement capable d'apporter. Ce travail vous permet de mieux vous pénétrer de ces questions et des problèmes qu'elles posent.

■ **3e étape : Revenez au texte pour une lecture approfondie afin de mieux vous pénétrer de sa signification jusque dans le détail.**

— Eclairez par la réflexion ce qui vous paraît obscur.
— Distinguez les différentes parties.
— Notez l'une sous l'autre, au brouillon, les idées essentielles du texte.

■ **4e étape : Répondez aux questions posées.**

Attention :
— Chacune de vos réponses doit être entièrement et soigneusement rédigée.
— Recherchez la clarté et la précision, sans phrases inutiles.
(Ex. : deux à trois lignes peuvent suffire pour expliquer un mot ou une expression).
— Rédigez d'abord au brouillon et ne relevez que lorsque tout est au point.
— Ecrivez lisiblement en surveillant la ponctuation et l'orthographe.

IV. — Exercice

(1) **Traitez le sujet donné en exemple** : « La seule manière de bien visiter... »

(2) **Traitez le sujet suivant** :

POURQUOI SUIT-ON LA MODE ?

En dehors des modes artificielles, lancées par des procédés publicitaires, la naissance d'une mode représente, pour l'ensemble du public, un phénomène quelque peu mystérieux. Pourquoi voit-on soudain les femmes porter avec ensemble des bas de laine de couleur, de drôles de petites cagoules ou des jupes subitement écourtées ? Quel tam-tam les a secrètement avisées d'un mouvement qui leur permet d'être tout ensemble « à la mode » et différentes du commun ?

Un mouvement de mode est souvent inexpliqué, plus souvent encore imprévu. Il est cependant, de nos jours, de plus en plus provoqué artificiellement, ce qui est possible, car il obéit à des lois précises. Le principe de la mode, celui dont tout dépend, est le goût humain pour le changement... Sur cet appétit, satisfait parfois par des manifestations de mode spontanée, viennent se greffer les manifestations artificielles voulues par les fabricants qui cherchent de plus en plus à contrôler la mode pour en tirer le maximum de profit.

Parmi les raisons déterminantes des nouvelles modes, artificielles ou non, quelques-unes sont particulièrement efficaces.

Imiter une personne en vue, souveraine ou vedette, c'est s'identifier à elle. L'histoire du costume abonde en exemples de ce genre. Le hennin fut porté jusqu'à l'outrance la plus extravagante pour copier la reine Isabeau de Bavière. Des milliers de femmes s'habillèrent du jour au lendemain de robes en toile de Vichy à carreaux roses et blancs parce que Brigitte Bardot avait, en cette tenue, épousé Jacques Charrier. Ce phénomène spontané, que nul n'avait provoqué, a fait travailler à plein rendement pendant deux ans les tissages de la région de Roanne.

Vouloir être drôle, s'affirmer ou se singulariser, ce sont encore là des expressions spontanées de la mode...

Certaines modes adoptées par les jeunes, qu'elles soient dites zazoues, yé-yé ou beatles, ne sont pas autre chose qu'une affirmation de leur personnalité vis-à-vis d'adultes qu'il convient de braver. Claude SALVY (*Le monde et la mode*).

1 : Expliquez : « procédés publicitaires », « imiter une personne en vue, souveraine ou vedette, c'est s'identifier à elle ».

2 : Relevez dans le texte les différentes raisons qui provoquent la naissance d'une mode.

3 : Résumez ce texte en une dizaine de lignes.

4 : En une trentaine de lignes vous préciserez dans quelle mesure vous suivez vous-même la mode et pourquoi.

COMMENT EXPLIQUER LE SENS DES MOTS ET DES EXPRESSIONS*

Nous avons vu dans la leçon précédente qu'il était souvent demandé d'expliquer certains mots, certaines expressions, parfois une phrase entière.

I. — Un préalable : exercez-vous à utiliser intelligemment le dictionnaire

1. Le dictionnaire est indispensable

Chaque fois que vous rencontrez dans un texte un mot inconnu ou mal connu

— Essayez d'abord d'en pénétrer la signification en réfléchissant : le sens général de la phrase ne peut-il vous éclairer ? Certains des éléments qui constituent le mot (préfixe, radical, suffixe) ne peuvent-ils vous aider ?
— Reportez-vous ensuite au dictionnaire. C'est une consultation très utile.

2. Mais le dictionnaire ne fournit que des matériaux pour une réflexion personnelle. Pourquoi ?

1. Le dictionnaire, obligé de proposer une définition valable dans tous les cas, ne donne souvent qu'un sens approché, trop général. A vous de « repenser » ces indications et de les éclairer par des exemples afin de les adapter au sens précis des mots dans la phrase.

Ainsi le mot « marchandise » est défini dans le Nouveau Petit Larousse (1971) : « ce qui fait l'objet d'un commerce ». Pourriez-vous noter une telle définition pour expliquer le mot dans la phrase : « Les marchandises s'entassaient dans la boutique de l'épicier » ? sinon, quelle explication proposeriez-vous ?

2. Le dictionnaire livre, à propos d'un mot donné, toutes les significations qu'il peut avoir (ses acceptions).

☐ **Exemple : Caractère**
— *signe dont on se sert dans l'écriture* (les caractères d'imprimerie) ;
— *trait distinctif* (les caractères de la race jaune) ;
— *Ce qui est propre à une chose* (le caractère d'une œuvre) ;
— *fermeté* (montrer du caractère) ;
— *ensemble des traits psychologiques d'un individu* (chacun a son caractère) ;
— etc...

Il vous faut donc chercher, parmi les divers sens proposés, celui qui correspond au sens du mot dans la phrase.

* Corrigé page 184.

3. **Conclusion : il faut savoir passer du sens du mot dans le dictionnaire au sens du mot dans le texte.**

Il ne s'agit donc pas de relever la définition du dictionnaire mais de la refondre et de la préciser.

II. — Comment procéder pour expliquer le sens que prend, dans un texte, un mot ou une expression ?

■ Rappel

1. Vos réponses doivent être soigneusement rédigées.
2. Vos réponses doivent être claires, précises et sans développement inutile : de 2 à 4 lignes suffisent en général.

■ Méthode

1. Notez d'abord au brouillon, sans souci de rédaction, les éléments de votre explication.

□ Exemple :

On vous demande d'expliquer le mot « blasé » dans la phrase : « Beaucoup considèrent la conquête de l'espace en esprits blasés. Pour eux ce n'est plus un fait historique mais un simple fait divers quotidien. »

Vous pouvez noter en vrac, au brouillon, les éléments suivants : blasé = indifférent - devenu incapable d'émotion, d'enthousiasme.

2. Rédigez ensuite l'explication à partir de ces éléments en dégageant le sens particulier que le mot prend dans le contexte.

En pratique, votre explication rédigée peut comporter deux phrases comme dans l'exemple qui suit :

Notez d'abord 1 ou 2 synonymes	Précisez ensuite le sens du mot dans le contexte
Blasé *signifie indifférent, devenu incapable d'enthousiasme.*	*Pour certains, en effet, l'image désormais banale d'un homme sur la lune a cessé d'éveiller l'étonnement et l'émotion.*

III. — Exercices

En utilisant le même tableau que précédemment, éclairez par une explication le sens de chacun des mots en italique :

1 : La culture des céréales *prédomine* dans cette région.
2 : La publicité tend à créer des besoins *artificiels.*
3 : Le premier qui inventa la roue eut une idée *féconde.*
4 : Certaines villes de la banlieue parisienne sont de simples *cités-dortoirs.*

6e partie

COMMENT RÉSUMER UN TEXTE

Approche d'ensemble : POURQUOI ET COMMENT RÉSUMER ?

I. — Pourquoi résumer ?

1. Résumer est un acte de la vie quotidienne

— On résume oralement un film ou un roman à un camarade.
— On résume oralement sa journée, ses vacances, des événements.
— On peut résumer une discussion qui vient d'avoir lieu, un exposé entendu.
— On peut résumer par écrit un article de revue afin d'en garder une trace sur une fiche.

Dans tous les cas, comment procède-t-on ? On réduit à l'essentiel ; on concentre en peu de mots ; on tente d'être le plus clair et le plus exact possible.

2. Résumer est un exercice fréquent à des examens et concours de tous niveaux dans lesquels il s'agit d'apprécier :

— l'intelligence du candidat (son aptitude à comprendre un texte et à en dégager l'essentiel) ;
— les qualités d'expression écrite du candidat.

3. Résumer est un excellent exercice de formation personnelle qui entraîne :

— à la lecture active d'un texte (voir page 85) : il s'agit de se l'approprier mentalement, de s'en enrichir ;
— à un travail actif de la pensée et de l'expression pour réduire, concentrer, reformuler dans son propre langage (voir page 94).

II. — Que résumer ?

Nous n'examinerons ici que le résumé de texte, qu'il s'agisse d'en conserver une trace pour soi (sur une fiche, dans un dossier...) ou d'élaborer un message pour les autres (dans la vie professionnelle, sociale ou scolaire).

1. Il peut s'agir de résumer un texte relatant des faits et des actions : par exemple texte historique, article de journal, récit, roman.
Reportez-vous à la page 101.

2. Il peut aussi s'agir de résumer un texte d'idées : le résumé doit alors rendre compte, sans ajouter de commentaires personnels, des opinions et des arguments exprimés.

Reportez-vous à la page 97.

3. **De toute façon un entraînement méthodique au résumé exige des exercices préparatoires, déjà très formateurs en eux-mêmes.**

— S'exercer à dominer un texte par une lecture active (p. 85).
— S'exercer aux démarches de réduction d'un texte (p. 92).

III. — Qu'est-ce que résumer un texte ?

■ **C'est transformer ce texte en un texte nouveau** (le résumé lui-même) :

— plus court : selon le cas la moitié, le tiers, le quart... ;
— de sens équivalent ;
— soigneusement rédigé dans un langage clair et précis.

■ **Voici quelques extraits significatifs des instructions officielles au sujet du résumé en tant qu'épreuve d'examens.**

« Le résumé suit le fil du développement ; dans le même ordre, il dit en plus court ce que le texte dit en plus long. Le candidat, distinguant avec soin ce qui est essentiel et ce qui est accessoire, prend en charge les affirmations d'importance majeure pour les exprimer dans son propre style. Il s'interdit un montage de citations : s'il croit devoir emprunter (en utilisant des guillemets) telle ou telle formule caractéristique, il ne le fait qu'à titre exceptionnel. Se plaçant dans le cadre même des énoncés, il s'abstient d'indications comme « l'auteur déclare que..., conte que..., dégage en terminant l'idée que... ». Ainsi, il donne du déroulement du texte une image réduite, mais fidèle et directe. »

(B.O. 45, 1978, Circulaire 78-436)

S'EXERCER A DOMINER UN TEXTE PAR UNE LECTURE ACTIVE*

La démarche que nous vous proposons constitue à la fois :

1. **Une méthode de lecture d'information** pour explorer avec profit un texte d'idées et en dégager tout le contenu (article de journal ou de revue, chapitre d'ouvrage documentaire...).
2. **Une préparation indispensable au résumé** car avant de résumer un texte il faut :

— le comprendre : en éclairer toute la signification ;
— l'analyser : en dégager avec précision les idées et leur enchaînement.

Une méthode d'ensemble (en 4 étapes)

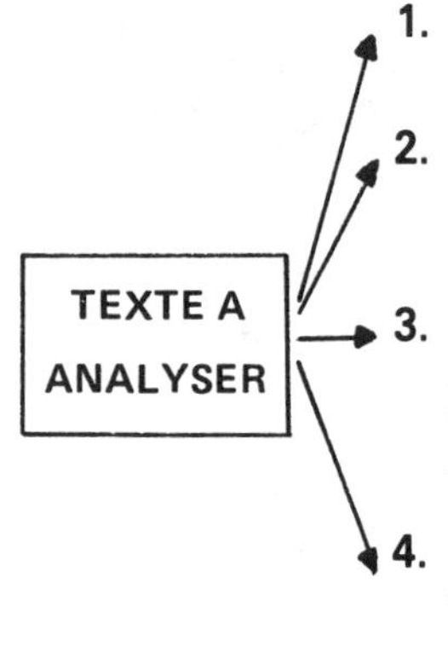

1. **Eclairer toute la signification du texte** par un effort de compréhension active.
2. **Survoler le texte pour en saisir l'image d'ensemble** : parvenir ainsi à distinguer les différentes parties et à les séparer par un trait de crayon.
3. **Dégager une à une les idées essentielles** de chaque partie ou de chaque paragraphe : les noter l'une sous l'autre sous forme, par exemple, d'un titre.
4. **Reconstituer l'enchaînement des idées** sous forme d'un plan schématique qui révèle, visuellement, l'organisation du texte.

1re étape :

I. — Dégager activement toute la signification du texte

Le lecteur hâtif a souvent tendance à se contenter de la vague compréhension qu'apporte une lecture superficielle. Mais qui veut tirer profit de ses lectures doit aller au-delà.

* Corrigé pages 185 et 186.

Conseils

On peut procéder en deux temps :

1. S'efforcer d'abord, à travers quelques lectures attentives, de bien saisir le sens général du texte.

Ce sens général, essayez de l'exprimer pour vous, mentalement ou à haute voix. Puis revenez au texte à titre de contrôle. Est-ce bien cela qui est exprimé ? Sinon, rectifiez.

2. Ensuite, éclairer une à une les difficultés de détail sur lesquelles vous avez peut-être buté.

Par exemple, vous percevez mal le sens d'un mot, d'un membre de phrase, d'une phrase :
— repérez chaque difficulté d'un trait de crayon ;
— précisez le sens des mots douteux en utilisant le dictionnaire ;
— traduisez dans votre propre langage tout ce qui vous semble complexe, obscur ou abstrait.

Exercices d'entraînement

(1) Formulez en une phrase le sens général du texte suivant :

« La tribu la plus primitive qu'il nous ait jamais été donné d'observer, la tribu des Tasady, a été découverte il y a moins de cinq ans. Ses membres, au nombre de 125 ont arrêté leur évolution au stade du paléolithique. C'est à peine s'ils savent tailler la pierre. Ils ignorent l'agriculture, l'élevage, la chasse, la construction. Ils vivent de cueillette et d'une pêche rudimentaire. Les deux anthropologues qui les ont étudiés, — sommairement, il est vrai — n'ont décelé nulle trace d'art, de magie ou de religion. Pas non plus de véritable structure sociale. D'outils, ils n'ont que la hache de pierre coupante, le pieu de bois et le couteau de bambou. Ils savent faire du feu. C'est tout... Pourtant les Tasady présentent toutes les marques du bonheur. »

François de Closets

(2) Soulignez, dans le texte précédent, les mots et les expressions de sens difficile. Puis consultez le dictionnaire et traduisez dans votre langage les définitions qu'il propose.

(3) Pour chacun des courts textes suivants, éclairez à l'aide d'un dictionnaire le sens des mots difficiles, puis reformulez le texte tout entier dans votre propre langage afin de vous assurer que vous l'avez parfaitement compris.

1 : Le chemin de fer était générateur de déterminisme collectif ; l'automobile et le vélomoteur ouvrent la voie à un individualisme effréné (Fourastié).
2 : Chaque citoyen peut accéder aux diverses charges de l'Etat.
3 : Tout homme qui sait lire a en lui le pouvoir de multiplier ses modes d'existence.

(4) Si le texte est formulé de façon abstraite il faut placer derrière les mots des exemples concrets qui vous permettront de comprendre. Ainsi, quels exemples pourriez-vous placer derrière les expressions en caractères gras dans les textes suivants afin d'en bien saisir la signification.

1 : Les hommes naissent libres et **égaux en droit.**
2 : Le monde ne cesse de **se transformer sous nos yeux.**
3 : En démocratie chacun doit être le défenseur des **libertés fondamentales.**

2e étape :

II. — Survoler le texte pour en percevoir l'image d'ensemble

■ Conseils

Le texte s'étale sous vos yeux, dans l'espace de la page, comme un paysage inconnu. Cherchez d'abord des points de repère matériels (disposition typographique) ; puis tentez de découvrir des mots jalons, des membres de phrases ayant valeur de poteaux indicateurs. Ainsi, vous saisirez la géographie d'ensemble.

Précisons :

1. *Prenez d'abord appui sur la disposition typographique du texte :*
— Comporte-t-il des titres, des sous-titres, une numérotation ?
— Combien de paragraphes distinguez-vous ?

2. *Parcourez l'introduction :*
— Vous indique-t-elle le plan suivi ?
— Confirmez éventuellement ceci par la lecture de la conclusion qui peut récapituler les différents points envisagés.

3. *Lisez la première phrase de chaque paragraphe :*
— Ne vous donne-t-elle pas d'indications sur le contenu de ce paragraphe ?
— Ne comporte-t-elle pas d'éléments de liaison avec ce qui précède ? Indications de rapports logiques, par exemple : ensuite, enfin, mais, par contre, d'autre part, etc..

4. *Essayez de saisir des mots ou des phrases de transition entre les différentes parties.*

■ Un exercice

(5) En vous inspirant des conseils précédents, cherchez quels sont les points de repère qui peuvent vous guider pour saisir l'image d'ensemble du texte suivant d'André Maurois.

L'ART DE LIRE

« La lecture est-elle un travail ? Valéry Larbaud la nomme un « vice impuni » et Descartes au contraire « une conversation avec les plus honnêtes gens des siècles passés ». Tous deux ont raison.

La lecture-vice est propre aux êtres qui trouvent en elle une sorte d'opium et s'affranchissent du monde réel en plongeant dans un monde imaginaire. Ceux-là ne peuvent rester une minute sans lire ; tout leur est bon ; ils ouvriront au hasard une encyclopédie et y liront un article sur la technique de l'aquarelle avec la même voracité qu'un texte sur les machines à feu. Laissés seuls dans une chambre, ils iront droit à la table où se trouvent des revues, des journaux et attaqueront une colonne quelconque, en son milieu, plutôt que de se livrer un instant à leurs propres pensées. Ils ne cherchent dans la lecture ni des idées, ni des faits, mais ce défilé continu de mots qui leur masque le monde et leur âme. De ce qu'ils ont lu, ils retiennent peu de substantifique moelle ; entre les sources d'information, ils n'établissent aucune hiérarchie de valeurs. La lecture pratiquée par eux, est toute passive : ils subissent les textes ; ils ne les interprètent pas ; ils ne leur font pas place dans leur esprit ; ils ne les assimilent pas.

La lecture-plaisir est déjà plus active. Lit pour son plaisir l'amateur de romans qui cherche dans les livres, soit des impressions de beauté, soit un réveil et une exaltation de ses propres sentiments, soit des aventures que lui refuse la vie. Lit pour son plaisir celui qui aime à retrouver dans les moralistes et les poètes, plus parfaitement exprimées, les observations qu'il a faites lui-même, ou les sensations qu'il a éprouvées. Lit pour son plaisir enfin celui qui, sans étudier telle période définie de l'histoire, se plaît à constater l'identité, au cours des siècles, des tourments humains. Cette lecture-plaisir est saine.

Enfin, la lecture-travail est celle de l'homme qui, dans un livre, cherche telles connaissances définies, matériaux dont il a besoin pour étayer ou achever dans son esprit une construction dont il entrevoit les grandes lignes. La lecture-travail doit se faire, à moins que le lecteur ne possède une étonnante mémoire, plume ou crayon en main. Il est vain de lire si l'on se condamne à relire chaque fois que l'on souhaitera revenir au sujet. S'il m'est permis de citer mon exemple, lorsque je lis un livre d'histoire ou un livre sérieux quelconque, j'écris toujours à la première ou à la dernière page quelques mots qui indiquent les sujets essentiels traités, puis, en dessous de chacun de ces mots, les chiffres des pages qui renvoient aux passages que je désire pouvoir consulter, en cas ce besoin, sans avoir à relire le livre entier. »

(Extrait de « l'Art de vivre »)

3e étape :

III. — Dégager les idées essentielles

■ Conseils

Pour y parvenir :

1. Distinguez dans chaque unité du texte (paragraphe par exemple) l'idée principale et les idées complémentaires.
2. Notez l'une sous l'autre les idées principales ainsi distinguées.

■ Exemple 1 : un paragraphe de Giono.

Le plus souvent un paragraphe se construit autour d'une idée principale qu'il s'agit, pour le lecteur, de bien dégager. Les idées complémentaires qui s'organisent autour d'elle ont pour fonction, selon le cas, de la développer, de l'expliquer, de la préciser, de la justifier... Enfin des exemples peuvent illustrer ces idées.

Ainsi considérons ce texte de Giono et distinguons ces trois éléments :

« Les choses se transforment sous nos yeux avec une extraordinaire vitesse. Et on ne peut pas toujours prétendre que cette transformation soit un progrès. Nos « belles » créations se comptent sur les doigts de la main ; nos destructions sont innombrables. Telle vallée, on la barre ; tel fleuve, on le canalise. Pour rendre les routes « roulantes », on met bas les alignements d'arbres de Sully. Pour créer des parkings on démolit des chapelles romanes, de vieilles halles. »

Giono

Idée principale	Idées complémentaires	Exemples
— Exprimée par les deux premières phrases. — Mots clés : transformation, vitesse, non-progrès.	Exprimées dans la troisième phrase : belles créations = rares, destructions = très nombreuses.	Exprimés dans les trois dernières phrases.

■ Exemple 2 : un enchaînement de paragraphes.

Le texte précédent de Maurois :

Nous pourrions noter aussi l'une sous l'autre les idées essentielles du texte de Maurois **« L'art de lire »** en les reformulant dans notre langage.

1. Introduction : il est plusieurs sortes de lectures.
2. La lecture-vice est une drogue qui permet à ceux qui l'utilisent de s'évader de la réalité.
3. La lecture-plaisir est une saine distraction qui enrichit l'esprit.
4. La lecture-travail est une recherche méthodique de matériaux et d'informations.

□ Exercices

(6) En utilisant le tableau de l'exemple 1, distinguez dans ce texte de Daniel Rops l'idée principale, les idées complémentaires, les exemples.

« Nous sommes engagés dans une transformation du monde qui doit provoquer, du mode de vie humain, une modification plus radicale que jamais époque n'en connut. Le phénomène essentiel, c'est l'élimination progressive, fatale, irrésistible du travail humain. La civilisation de demain sera une civilisation où le labeur tiendra une place de plus en plus petite. Déjà nous connaissons bien des cas où cette élimination du travail humain est un fait. Dans l'usine électrique qui ronronne doucement au fond de la gorge alpine, le seul travail de l'homme se réduit à un rôle de surveillance et de réparation. Il a fallu certes du travail pour construire l'usine et, là encore, la machine est intervenue efficacement — mais, achevée, la voici prête à se passer de l'homme pour des années.

A la chaîne de montage des automobiles, on a expérimenté l'emploi d'électro-aimants remplaçant les hommes ; le résultat fut satisfaisant, comme d'ailleurs il est conforme à la logique. Il n'est guère de domaine où l'on ne puisse concevoir un tel remplacement. »

(7) Tout développement ne comporte pas nécessairement les trois éléments précédents mais parfois deux. Distinguez, dans chacun des textes suivants, d'une part l'idée principale, d'autre part ce qui s'y rattache (vous direz s'il s'agit d'idées complémentaires ou d'exemples).

1 : Chacun cherche dans ses loisirs ce qui lui plaît et en particulier un antidote aux contraintes sociales : l'un chasse, l'autre pêche, un troisième joue aux boules, tous voyagent et découvrent l'incroyable diversité de la campagne, des villes, des hommes (Maurois).

2 : Il est certain qu'une très grande part des biens produits par la civilisation technicienne sont superflus par rapport aux exigences normales de la santé et du véritable confort. Les besoins fictifs, artificiels, se multiplient, tandis que certains hommes arrivent à ne plus sentir des besoins simples, élémentaires, humains, comme le besoin d'air pur et libre, le besoin d'espace, le besoin, à certaines heures, de solitude et de recueillement (R. Duchet).

3 : Le sport est utile à la formation morale des jeunes. C'est d'abord une école de formation du caractère : l'effort trempe la volonté et cultive le goût du dépassement de soi. C'est aussi un apprentissage de l'esprit d'équipe et de la modestie. Ainsi lors d'un match de football le jeu de chacun profite à tous et la victoire est collective.

4ᵉ étape

IV. — Faites apparaître l'enchaînement des idées sous forme d'un plan qui constitue le résumé schématique du texte

■ Exemple 1 : un texte court.

« Le développement de la Sécurité sociale, abaissant dans d'importantes proportions au profit de chacun le prix des soins et des médicaments, a certainement favorisé l'expansion de la médecine en France. En outre, sous l'effet conjugué de la diffusion des idées médicales et de l'élévation du niveau de vie, chaque Français tend à consacrer une part plus importante de ses revenus à sa santé. Il en résulte, au total, depuis la dernière guerre, une amélioration nette de la situation sanitaire dans notre pays. »

(Un manuel)

— Essayez de dégager les différentes idées de ce texte puis faites apparaître leur enchaînement logique.

— Réponse proposée (à ne lire qu'après avoir cherché vous-même).

CAUSE 1 :	Le développement de la Sécurité sociale a favorisé l'expansion de la médecine.
CAUSE 2 :	Chaque Français consacre une part plus importante de ses revenus à la santé.
CONSÉQUENCE :	La situation sanitaire s'est améliorée en France depuis la dernière guerre.

■ Exemple 2

Reprenez le texte d'André Maurois ci-dessus (page 87) et présentez-le sous forme d'un plan-résumé schématique après avoir dégagé les idées.

• Réponse proposée (à ne lire qu'après avoir cherché vous-même).

— *Introduction*

I. *La lecture-vice*
   1) *Rôle de cette lecture : affranchir du monde réel.*
   2) *Caractère de la lecture-vice : lire n'importe quoi.*
   3) *Valeur de cette lecture : passive et sans profit.*

II. *La lecture-plaisir*
   1) *Caractère de cette lecture : plus active.*
   2) *Exemples de lecture-plaisir : amateur de romans, de poésie, ou textes historiques.*
   3) *Valeur de cette lecture = saine distraction.*

III. *La lecture-travail*
   1) *En quoi consiste-t-elle ? recherche de matériaux et d'informations.*
   2) *Comment la conduire efficacement ? prendre des notes avec méthode.*

□ Exercices

Vous dégagerez les idées essentielles de chacun des textes suivants puis vous les présenterez sous forme d'un plan-résumé schématique.

(8) LES ADOLESCENTS ET LE SPORT

« Il est facile de saisir pourquoi les adolescents se plaisent, dans leur ensemble, à la pratique du sport. Il leur offre un passe-temps qui peut se prolonger et dont les règles dispensent d'invention personnelle ; il permet une évasion facile à cause de l'effort et de l'attention qu'il réclame et qui sont incompatibles avec d'autres préoccupations ; il réalise le rêve diffus de la force physique et de l'épanouissement corporel, source d'admiration de la part d'autrui et donc de fierté personnelle. »

Guy Avanzini

(9) LE JOURNAL ET SON PUBLIC

On fait un journal pour le public, ou du moins pour un cértain public.

Le public est instable à l'image du Jour. Il n'est pas d'ailleurs sans excuses. La vie aujourd'hui est plus lourde qu'autrefois, les affaires plus difficiles et plus absorbantes, les gens sont fatigués. Il est un mot de notre époque qui exprime bien l'état dans lequel se trouvent à la fin d'une journée de travail la plupart d'entre nous : on a besoin, dit-on, de « se changer les idées ». C'est un besoin impérieux, comme un instinct de conservation. On se change les idées en allant au cinéma ; chez soi en tournant le bouton du poste de radio. On ne noie la fatigue intérieure que l'on éprouve que dans le bruit, car l'homme moderne déteste le silence. Il use du bruit comme d'un opium. Il a aussi perdu le goût de lire, ou du moins, en a perdu l'habitude. Il veut être renseigné sans effort.

La presse, ou plutôt une certaine presse, celle qui cherche le gros tirage, flatte cette paresse. Les titres, les images, remplacent de plus en plus le texte. Les récits romancés, l'aventure, apportent ce changement d'idées que paraît réclamer le lecteur. Les crimes, les drames passionnels, servent sa curiosité malsaine. La concurrence provoque une surenchère qui n'est qu'une basse démagogie. Les journaux se sont engagés dans une voie dont ils ne peuvent prévoir l'issue.

Robert Dubard (Encyclopédie française)

(10) NOTRE PLANÈTE DEVIENT-ELLE INHABITABLE ?

Depuis quelque 40 000 ans, l'homme s'est employé patiemment, laborieusement, constamment, à conquérir la planète, à étendre sa domination sur toutes les autres espèces et sur toutes les forces de la nature. De ce défi insensé au départ, il est sorti victorieux. Pas un mètre carré du globe n'a échappé à son exploration, pas une espèce animale ne lui a résisté. Il a maîtrisé les fleuves et même les mers. Il a défriché les forêts et cultivé les champs. Il se lance dans l'espace. Sa victoire semble totale. Trop totale pour être durable.

Brusquement au cours des dernières décennies, alors que s'épanouissait la puissance technologique d'une civilisation fondée sur les connaissances scientifiques, le danger est apparu. Sur une période très courte de sa relativement courte histoire, l'homme a si bien maîtrisé la nature qu'il est en train de la tuer. Défrichements hâtifs pour ouvrir des terres nouvelles à la production agricole, empiètements rapides pour l'extension des villes tentaculaires, des usines, des routes, des aérodromes, érosion et destruction des sols, pollution de l'air, pollution des eaux, disparition de la vie sauvage, amoncellement des déchets, enlaidissement des campagnes, empoisonnement de la planète, tels sont les résultats de la domination technologique de l'homme, de l'accroissement de la population, de la mystique de la production.

Telles sont les menaces de mort qui pèsent sur la biosphère — cette mince couche du globe terrestre, au point de rencontre du sol, de l'air et des eaux, où la vie peut exister ; à laquelle l'homme lui-même appartient et dont il dépend inexorablement pour sa propre survie.

Michel Batisse (« Notre planète devient-elle inhabitable ? »
Le courrier de l'UNESCO, janvier 1969.)

S'EXERCER AUX DÉMARCHES DE RÉDUCTION D'UN TEXTE*

Résumer un texte, c'est le transformer en un texte plus court mais de sens équivalent. Une telle opération met en œuvre, en particulier, trois démarches de la pensée auxquelles il est utile de nous exercer systématiquement :

— **L'effacement** de ce qui n'est pas nécessaire à la compréhension du texte.
— **La sélection des mots forts** porteurs du sens principal et sur lesquels il est nécessaire de prendre appui pour résumer.
— **La condensation** des informations essentielles du texte sous une forme brève.

I. — Effacer ce qui n'est pas nécessaire à la signification d'ensemble

Pour prendre conscience de ce qui est important et de ce qui est accessoire, il est bon de chercher ce qui peut être supprimé sans que le sens général du texte en soit modifié.

■ Exemples :

1. *« Son sac ne contenait que des objets sans grande valeur allant du briquet à l'agenda. »*

On voit que le dernier membre de phrase *« allant du briquet à l'agenda »* précise l'idée énoncée mais n'ajoute pas d'idée nouvelle. Si l'on ne veut garder que l'essentiel, on peut donc le supprimer.

2. *« La télévision connaît un succès grandissant, c'est incontestable. »*

On voit que *« c'est incontestable »* renforce l'affirmation qui précède mais n'ajoute pas d'idée nouvelle. On peut donc le supprimer.

3. *« La maison était délabrée : fenêtres sans carreaux, gouttières arrachées, plancher pourri qui pendait dans la cave. »*

On voit que les notations descriptives qui suivent les deux points illustrent simplement l'affirmation qui précède. Si vous aviez à résumer vous n'auriez donc pas à en tenir compte : c'est à supprimer.

■ Conclusion

Dans un texte qui doit être réduit sous forme de résumé, on peut déjà effacer tout ce qui n'apporte pas d'information nouvelle : idée qui répète ce

* Corrigé pages 186 et 187.

qui a déjà été exprimé sous une forme différente, précision secondaire, notations descriptives...

■ Exercices

(1) *Placez entre parenthèses ce qui peut être supprimé dans les textes suivants sans nuire à la signification essentielle.*

1 : Il avait des scrupules, le pauvre cher homme.
2 : L'invention de la locomotive, cet étonnant monstre d'acier, marque le début de notre époque.
3 : Il est certain que notre société gaspille.
4 : Par suite de circonstances diverses, il n'occupait que deux pièces de son immense appartement.
5 : J'ignore quel sera l'avenir et je n'ai d'ailleurs aucun moyen de le connaître.
6 : Le tourisme, c'est évident, est devenu un phénomène de masse. Il mobilise des foules immenses au cœur de l'été.

II. — Sélectionner les mots clés, porteurs du sens principal

Certaines expressions ou certains membres de phrases contiennent la signification principale d'un texte. Les découvrir c'est aller droit à l'essentiel.

■ Exemples

1 : *« De plus en plus, les sorties du week-end ne se limitent plus à une promenade au grand air, ou au pique-nique champêtre ; elles conduisent à l'habitation temporaire d'une de ces 1 600 000 résidences secondaires dont les deux tiers environ se trouvent à la campagne. »*

Nous proposons comme mots « porteurs du sens principal » sur lesquels prendre appui pour rédiger ensuite le résumé : *« les sorties du week-end... conduisent... résidences secondaires... à la campagne »*. Qu'en pensez-vous ?

2 : *« La première révolution industrielle est née de l'utilisation par l'homme d'une force motrice puissante, la vapeur, dans les usines où travailleront des machines servies par l'homme. »*

Nous proposons comme mots clés : *« première révolution industrielle... utilisation... vapeur... dans les usines »*.

■ Exercices

(2) Sélectionner les mots clés dans les textes suivants :

1 : Un savant qui a consacré sa vie à la recherche scientifique en vient naturellement à s'interroger sur les dangers que peut présenter pour l'humanité certaines applications de la science.
2 : Un grand ensemble est un quartier nouveau de plusieurs milliers de logements comportant théoriquement les quatre fonctions classiques d'une ville : loger, occuper, instruire, distraire.
3 : Le principe de la mode, celui qui détermine toute son évolution, c'est l'inexplicable et profond goût pour le changement.
4 : Tout homme de culture traditionnelle, formée par la pratique des vieux livres, qui sait par

l'histoire la lenteur du développement humain, la constance de nos vrais problèmes, a d'abord et comme nécessairement de la méfiance devant les dernières inventions, celles qui flattent le goût du jour.

III. — Concentrer la signification sous une forme plus brève

Cette démarche essentielle consiste à traduire le texte dans son propre langage en le réduisant fortement.

Exemple : si au lieu du membre de phrase *« qu'il s'agisse de la télévision, de la radio ou de la presse... »* j'écris *« les mass media »*, j'ai traduit par une expression de même sens mais plus condensée.

Résumer c'est donc, à la fois :

1. traduire dans son langage sans trahir la pensée de l'auteur. Relisez votre résumé. Est-ce bien cela qui est dit dans le texte ?
2. réduire la formulation sans réduire le sens. Avez-vous exprimé tous les aspects importants ?

Nous allons voir avec plus de précision comment procéder.

Première possibilité :

■ Englober un ensemble dans un terme unique de portée plus générale.

Exemples :

texte d'origine	texte condensé
1. *Il traversa des villes immenses, de petites cités, d'humbles villages et même des hameaux.*	1. *Il traversa diverses agglomérations.*
2. *Seul, il avait creusé les fondations de sa maison, monté les murs, installé le toit.*	2. *Il avait construit seul sa maison.*
3. *Il devint rouge, roula des yeux féroces, agita les bras et se mit à hurler.*	3. *Il fut pris d'une violente colère.*

• **Exercice** :

(3) Condensez selon le même principe chacun des textes suivants :

1 : Elle décrocha l'écouteur, attendit la tonalité, composa le numéro et, sitôt l'interlocuteur au bout du fil, elle transmit son message.

2 : En physique, en chimie, en biologie, en électronique, les progrès sont incessants.

3 : Il examina la situation dans ses causes et dans ses conséquences, envisagea les solutions et réfléchit longuement à tous les aspects.

4 : Chaque jour, les joueurs de l'équipe échangeaient des passes, driblaient et shootaient tandis que le goal s'exerçait à bloquer les balles.

5 : Il avait, à la bouche, une cigarette dont il tirait de courtes bouffées.

Deuxième possibilité :

■ Concentrer ce qui se répète ou se développe

Exemples :

texte d'origine	texte condensé
1. *Combattre l'ennui ? La télévision et la radio ne suffisent pas. Il est même permis de penser que le petit écran trop regardé, que le haut-parleur trop écouté finissent par mettre dans les esprits un désordre qui n'est point un signe de santé. Quoi alors ? Les sports ? Le cinéma ? Le livre ? (Pas seulement le journal et l'hebdomadaire illustré.) Tout cela existe et ne suffit pas.* *(Gaxotte)*	1. *Les mass media, les sports et le livre ne suffisent pas à dissiper l'ennui.*
2. *Le journal que nous déplions chaque matin ou chaque soir, n'est-il pas comme une façon d'encyclopédie permanente et vivante, comme la synthèse quotidienne de toutes les formes de la vie matérielle, intellectuelle et morale de l'humanité ?* *(P. Bernard)*	2. *Le journal ne propose-t-il pas une image d'ensemble permanente des activités humaines ?*

• **Exercice :**

(4) Condensez de la même façon chacun des textes suivants :

1 : En Occident, nos enfants n'ont plus faim. Voilà une très bonne chose. Plus de famine dans nos sociétés « riches ». Finie l'écuelle de soupe sur laquelle se jetaient nos ancêtres, les malheureux, il y a deux cents ans.

2 : La ville ne peut nourrir ses habitants de son sol, elle doit acheter son pain, ses vivres, faire venir son eau de très loin parfois, importer les matériaux de son industrie, exporter le fruit de son travail pour en récolter un bénéfice.

3 : La télévision déploie sous nos yeux un trésor d'images, d'idées et de faits. Tous les jours elle nous promène à travers un monde infiniment divers et changeant. C'est un univers indéfini de découvertes qu'elle nous ouvre et, sollicitant ainsi notre esprit, elle l'oblige sans cesse à la réflexion.

Troisième possibilité :

■ Dégager la signification des exemples sans les citer.

Exemple :

texte d'origine	texte condensé
Cette masse nuageuse qui barre l'horizon n'est pas pour le pilote de l'avion un simple décor. Et ce pic, lointain encore, quel visage, montrera-t-il ? Au clair de lune, il sera le repère commode. Mais si le pilote vole en aveugle, le pic se changera en explosif. d'après Saint-Exupéry	*Pour un pilote d'avion le paysage n'est pas un spectacle mais un ensemble de données dont il doit tenir compte.*

• **Exercice** :

(5) Résumer chacun des textes suivants en dégageant la signification des exemples.

1 : « Si je fais le bilan des heures qui ont compté, à coup sûr je retrouve celles que mille fortune ne m'eût procurées. On n'achète pas l'amitié d'un Mermoz, d'un compagnon que les épreuves vécues ensemble ont lié à nous pour toujours. Cette nuit de vol et ses cent mille étoiles, cette sérénité, cette souveraineté de quelques heures, l'argent ne les achète pas. » (Saint Exupéry)

2 : « Qui veut tout faire ne fera jamais rien. Nous connaissons trop bien ces êtres aux aptitudes incertaines qui tantôt se disent : « Je pourrais être un grand musicien », tantôt : « Les affaires me seraient faciles » et tantôt : « si j'entrais dans la vie politique, j'y réussirais à coup sûr ». Tenez pour certain que ceux-là seront toujours des musiciens amateurs, des industriels ruinés et des politiciens vaincus. » (Maurois)

3 : « La France, ce n'est pas seulement un ensemble de cathédrales, de palais, de châteaux, de constructions prestigieuses. C'est aussi, pour qui sait flâner au hasard des rues, une vieille maison, une lucarne, une enseigne. C'est, pour qui ne sacrifie pas au démon de la vitesse, la surprise d'une chapelle anonyme, d'une paisible place de village, d'un vieux calvaire à la croisée de deux chemins. » (un atlas routier)

Récapitulation

MÉTHODE PRATIQUE POUR RÉSUMER UN TEXTE D'IDÉES OU D'INFORMATIONS*

I. — Qu'est-ce qu'un résumé de texte ?

1. C'est une image « concentrée » de ce texte.

— Le résumé doit pouvoir tenir lieu de texte original pour un lecteur pressé : tout l'essentiel doit donc s'y retrouver.
— Les détails et les idées accessoires doivent être éliminés.
— La longueur du résumé vous est souvent précisé par les consignes. Sinon, ne dépassez pas le tiers ou la moitié du texte original.

2. C'est une image « fidèle » du texte.

— Ne modifiez rien, n'ajoutez rien : ni jugement personnel, ni discussion.
— Rédigez comme si vous étiez l'auteur lui-même : éliminez donc toutes les phrases du type *« l'auteur déclare dans ce texte... »* ou *« ce texte présente... »*. Dites *« je »* si l'auteur dit *« je »*.
— Exposez les idées ou les informations dans l'ordre où le texte les présente.

3. C'est un développement bien construit et parfaitement rédigé.

— Ne donnez donc pas un simple plan schématique ni une succession de notes de lecture.
— Rédigez rigoureusement, sans titres ni sous-titres, en recherchant la clarté et la logique.

4. C'est une traduction du texte dans votre propre langage.

— Ne reprenez donc pas des phrases ou des membres de phrases du texte. Ne citez pas le texte, traduisez-le.
— Toutefois, plutôt que de chercher des périphrases, vous pouvez reprendre quelques rares mots du texte qui vous semblent indispensables.

II. — Comment élaborer le résumé d'un texte ?

Le résumé est le point d'aboutissement d'un travail en trois étapes auquel nous nous sommes exercés dans les leçons précédentes.

* Corrigé page 187.

■ **1re étape : comprendre.**

Il s'agit d'éclairer toute la signification du texte en ne laissant aucun point dans l'obscurité.

■ **2e étape : analyser.**

Il s'agit de dégager les idées successives et d'aboutir à une sorte de plan qui constitue déjà une sorte de résumé schématique du texte.

■ **3e étape : rédiger.**

Il suffit presque de « mettre en phrases » d'une façon claire, logique et soignée le plan schématique que vous venez de dresser.

III. — Exemple pratique

Nous allons reprendre, avec précision, ces trois étapes en étudiant ensemble comment résumer le texte suivant :

L'AUTOMOBILE

« Etrange paradoxe, l'automobile, produit de série, libère de la standardisation celui qui l'emploie. On peut avec elle choisir sa route, s'arrêter où et quand bon vous semble, partir en retard pour coucher dans un lit qui n'était pas prévu, retrouver l'aventure.

Elle permet de quitter rapidement la ville pour gagner la mer et la montagne, les séjours de week-ends dans des sites éloignés que la lenteur des communications aurait interdit autrefois ; elle permet d'aller vite et de s'attarder.

Mais ce moyen de transport n'a pas seulement l'avantage de faciliter et d'individualiser le voyage... Le déroulement de paysages, la succession de panoramas qu'elle offre à nos regards, nous fait mieux saisir les aspects caractéristiques du pays... Nous avons, par l'auto, un sentiment plus vif de la configuration du sol et des traits essentiels de la région. »

René Duchet

1re étape :

■ Bien pénétrer le sens du texte pour s'en imprégner.

1. Soulignez les mots et expressions dont le sens ne vous apparaît pas avec clarté.

Exemple : *paradoxe, standardisation...*

2. Cherchez à éclairer avec précision chacun des termes soulignés : utilisez le dictionnaire, réfléchissez.
3. Trouvez mentalement des exemples qui donnent, pour vous, un caractère concret et évident à chaque affirmation.

2e étape :

■ Dégager avec netteté les idées successives du texte.

1. **Distinguez les différentes parties.** Séparez-les par un trait de crayon puis proposez un titre pour chacune (ce titre est déjà un résumé).

   Exemple : *L'automobile, instrument de liberté.*
   L'automobile, instrument d'évasion.
   L'automobile, moyen de découverte.

2. **Recherchez le lien entre ces différentes parties** afin de comprendre leur enchaînement.

   Exemple : *On examine ici, tour à tour, différentes catégories d'avantages présentés par l'automobile.*

3. **Notez schématiquement la succession des idées à l'intérieur de chacune des parties.**

   Exemple (1re partie) : *L'automobile, instrument de liberté,*
   — le choix de la route ;
   — le choix du rythme et de l'horaire.

4. **Si le texte s'y prête, présentez-le sous forme d'un plan détaillé** (celui que l'auteur a, sans doute, suivi) = c'est un résumé schématique.

   Exemple :
   I. L'automobile est un instrument de liberté :
   — permet le choix de l'itinéraire ;
   — permet le choix du rythme et de l'horaire.

   II. L'automobile est un instrument d'évasion :
   — permet l'éloignement rapide de la ville ;
   — rend accessibles les endroits les plus éloignés.

   III. L'automobile est un moyen de découverte :
   — non seulement d'un paysage isolé ;
   — mais des traits essentiels d'une région.

3e étape :

■ Rédiger le résumé avec soin.

1. **Placez sous votre regard le plan détaillé** auquel votre analyse du texte a abouti (ou, sinon, la liste des idées successives).

Il met en évidence l'enchaînement des idées essentielles, vous fournissant ainsi les éléments dont vous avez besoin. Voilà l'ossature : autour d'elle vous allez recomposer le texte dans votre langage, le refondre dans un moule aux dimensions plus réduites.

Bref, il vous suffit presque de rédiger ce plan-schéma pour obtenir le résumé du texte.

2. **Rédigez au brouillon une ébauche de résumé.**

Ecrivez sans souci du nombre de lignes ou de mots. Il s'agit uniquement, pour l'instant, d'exprimer avec clarté l'essentiel en respectant le déroulement du texte. Rendez bien compte dans l'ordre des idées principales qui figurent dans votre plan. Mettez en évidence leur liaison, leur enchaînement. Donnez à chacune un développement proportionnel à son importance.

3. **Passez de cette ébauche à la rédaction définitive.**

En quoi consiste votre travail ? à donner à votre résumé la dimension voulue et à améliorer le style dans le sens de la clarté et de la concision.

— **Exemple** : (avant de lire le résumé proposé ci-dessous, essayez vous-même de rédiger le résumé du texte de René Duchet à partir du plan schématique que nous en avons dressé).

« L'automobile est un instrument de liberté individuelle dans la mesure où elle permet à chacun de choisir son itinéraire, son rythme et son horaire.

Elle est aussi un moyen d'évasion commode : on peut, avec elle, s'éloigner rapidement des villes et gagner les endroits les plus reculés.

Enfin, elle peut être un remarquable instrument de découverte des paysages et de la configuration d'ensemble d'une région. »

IV. — Exercices d'application

Suivez méthodiquement chacune de ces trois étapes pour résumer les textes suivants :

(1) Les voyages à pied.

Je ne conçois qu'une manière de voyager plus agréable que d'aller à cheval : c'est d'aller à pied.

On part à son moment, on s'arrête à sa volonté... On observe le pays ; on se détourne à droite, à gauche... Aperçois-je une rivière, je la côtoie ; un bois touffu, je vais sous son ombre ; une grotte, je la visite ; une carrière, j'examine les minéraux... Je ne dépends ni des chevaux, ni des postillons. Je n'ai pas besoin de choisir des chemins tout faits, des routes commodes ; je passe partout où un homme peut passer ; je vois tout ce qu'un homme peut voir et, ne dépendant que de moi-même je jouis de toute la liberté dont un homme peut jouir.

Combien de plaisirs on rassemble par cette agréable manière de voyager ! sans compter la santé qui s'affermit, l'humeur qui s'égaye. J'ai toujours vu ceux qui voyageaient dans de bonnes voitures bien douces, rêveurs, tristes ou souffrants, et les piétons toujours gais, légers et contents de tout. Combien le cœur rit quand on approche du gîte ! Combien un repas grossier paraît savoureux ! Avec quel plaisir on se repose à table ! Quel bon sommeil on fait dans un mauvais lit !

Quand on ne veut qu'arriver, on peut courir en chaise de poste ; mais quand on veut voyager, il faut aller à pied.

J.-J. Rousseau (XVIIIe siècle)

(2) Le journal et son public **(voir le texte page 91).**

(3) Notre planète devient-elle inhabitable ? **(voir le texte page 91).**

Récapitulation

MÉTHODE PRATIQUE POUR RÉSUMER UN RÉCIT OU UN ROMAN

1re étape :

Récapitulez oralement les éléments essentiels de l'intrigue

Après avoir lu le roman (ou la pièce de théâtre, etc.), remettez-vous clairement en esprit les éléments essentiels de l'intrigue en répondant oralement aux questions suivantes :

1. En peu de mots, de quoi est-il question ? que se passe-t-il ?

2. Quels sont les personnages principaux ? quels rôles jouent-ils ?

3. Quelle est la situation au début du roman ? quelle est la situation à la fin du roman ?

4. Quels sont les événements essentiels qui permettent de passer de la situation de départ à la situation finale ?

2e étape :

Notez au brouillon, avec clarté, les indications nécessaires

■ **Conseils**

1. Faites bien apparaître l'ordre chronologique.

2. Distinguez les événements principaux (à noter) et les événements accessoires (à éliminer).

3. Rendez le déroulement de l'action clair et intelligible.

4. Réduisez à l'indispensable les descriptions et les analyses psychologiques. (Il suffit de noter brièvement les indications de lieux et d'éclairer ce qui explique l'évolution des personnages.)

5. Pour plus de clarté, notez vos indications sous trois rubriques :

Situation de départ ⟶ *Evénements essentiels* ⟶ *Situation finale*

■ Exemples

1. **Situation de départ** :

— *X. est employé de banque dans une petite ville de Bretagne. Il rêve de partir à l'aventure.*

2. **Situation finale** :

— *X. revient dans sa petite ville : il n'a pas fait fortune mais il a connu d'autres cieux et vécu des minutes d'intense émotion.*

3. **Evénements essentiels** qui permettent de passer de la situation de départ à la situation finale (notez-les l'un sous l'autre sous une forme résumée en mettant bien en évidence leur enchaînement).

a) X. reçoit un jour une lettre mystérieuse qui lui propose de partir à la recherche d'un trésor.

b) X. s'embarque clandestinement à bord du « Surcouf III », un vieux cargo.

c) X. fait connaissance à bord d'un étrange marin qui... etc.

3e étape :

Rédigez votre résumé en prenant appui sur les indications notées au brouillon

- D'abord rédigez une première ébauche : essayez de ne rien oublier d'essentiel et de faire clairement apparaître le déroulement du récit.
- Ensuite remaniez cette ébauche pour l'améliorer. Ne pouvez-vous supprimer tel détail ou tel événement accessoire ? Ne pouvez-vous davantage mettre en relief ce qui explique l'évolution des personnages, leurs réactions importantes ? Faites-vous suffisamment apparaître les grandes étapes du récit et leur liaison ? Ne pouvez-vous concentrer davantage ?...

■ **Un exemple de résumé de roman** : « Le Rouge et le Noir » de Stendhal.

« Julien Sorel, jeune homme pauvre, fils d'un scieur de bois, entre comme précepteur des enfants de M. de Rênal, maire de sa petite ville. C'est un ambitieux et il parvient à se faire aimer de Madame de Rênal.

Il va ensuite au séminaire et gagne la confiance du supérieur qui obtient pour lui une place de secrétaire chez le marquis de la Môle, un ultraroyaliste. Julien séduit la fille du marquis, la romanesque Mathilde, et arrache à la famille un grade d'officier et un consentement au mariage.

Mais Madame de Rênal, toujours amoureuse, dénonce par une lettre les machinations de Julien qui, pour se venger, la rejoint à l'église et la blesse d'un coup de pistolet. Il est arrêté, condamné et meurt sur l'échafaud après avoir découvert qu'il aimait réellement Madame de Rênal. »

7e Partie

DES ITINÉRAIRES POUR S'EXERCER AUX

— récit
— description
— portrait

Itinéraire 1 :
IMAGINER ET RACONTER POUR LE PLAISIR*

I. — Découvrir librement des idées de récit

(1) Choisissez dans la liste A deux personnages qui seront vos héros, dans la liste B trois ou quatre verbes exprimant des actions. Avec ces éléments, imaginez un petit récit à votre guise.

A : *un résistant dans un pays occupé — un chasseur de la préhistoire — une vieille dame dont personne ne se méfie — un explorateur — un savant fou — un espion — le chef d'une tribu — un vieux sage — un sorcier — un détective privé — un banquier — un garçon de café — un écolier — un fantôme — un shérif — un bandit — un pompiste.*

B : *s'évader — poursuivre — découvrir un secret — chercher un trésor — affronter un danger — sauver la vie — libérer la victime — s'emparer de — avancer sans bruit — déchiffrer le message — mettre le feu — découvrir la vérité — suivre des traces — guetter — mener l'enquête — réunir une troupe — rassembler des preuves — libérer son pays — chasser l'ennemi — détruire — rétablir la justice — encercler.*

(2) Racontez le début d'un film ou d'un roman que vous connaissez. Puis, dès que l'action est bien engagée, oubliez ce que vous savez et imaginez librement une suite différente.

(3) A partir des faits divers suivants, imaginez des récits que vous présenterez en une douzaine de lignes sous la forme la plus vivante possible :

1 : *A la suite d'une fausse alerte, un village entier a été évacué pendant vingt-quatre heures.*
2 : *Un vieil homme monté sur un cheval distribuait des billets de banque aux passants ébahis.*
3 : *Deux inconnus, pris pour des gangsters, sèment involontairement la panique dans une petite ville.*
4 : *Un camion chargé de produits toxiques déverse accidentellement son chargement sur une place publique.*
5 : *Un bébé est trouvé vivant dans une corbeille flottant sur une rivière.*
6 : *Un lion s'évade d'une ménagerie et rôde pendant plusieurs heures dans la campagne où il sème l'effroi.*

(4) Vous pouvez reprendre, à votre choix, l'un des récits précédents et le développer en imaginant de nouvelles péripéties.

(5) Choisissez deux ou trois des propos suivants. Vous imaginerez ensuite un court récit au cours duquel ces propos seront prononcés par vos personnages :

« Jamais je ne céderai à ces menaces » — « Vous, ici !... Je n'en crois pas mes yeux » — « Ne bougez plus » — « A mon signal, nous sautons » — « En joue... Feu ! » — « Vite, une hache ! » — « L'eau monte dangereusement » — « Nous sommes sauvés ! »

* Corrigé page 188.

— « Attention ! les voilà ! » — « Quelqu'un est caché derrière la porte ! » — « Rien ne m'arrêtera ! » — « Rendez vous ! » — « J'ai bien cru que notre dernière heure était arrivée ! »

(6) Choisissez l'un des personnages de la liste A et l'un des objets de la liste B. Imaginez un petit récit dans lequel tous deux joueront un rôle important.

A : *un clown — un chien errant — un chauffeur de taxi — un inspecteur de police — un marin — une employée de banque — une marchande de fleurs — un pilote — un cambrioleur — un clochard — un agent double — un chômeur — une mère de famille.*

B : *un piano — une horloge — une énorme poutre — une bague — une vieille malle cadenassée — une photo — une clé — un pont — un thermomètre — un tonneau — une pipe — un radeau — une vieille paire de chaussures — un appareil photographique — une lourde chaîne — un briquet — un journal — un magnétophone — une guitare électrique — une fleur magique.*

(7) Combinez librement quelques-uns des événements suivants et composez un récit que vous imaginerez :

Un enlèvement — une poursuite — une arrestation — un combat — une ruse — une disparition — une enquête — un étrange coup de téléphone — une apparition inattendue — une panne — une grève — une inondation — un incendie suspect — un accident — une tempête — des cris dans la nuit.

(8) Imaginez librement des récits sur les thèmes suivants :

1 : *Une conversation dans un chemin de fer. Le ton monte. La dispute éclate.*

2 : *Trois personnes qui ne se connaissaient pas se trouvent bloquées dans la cabine d'un ascenseur tombé en panne.*

3 : *Une valise déposée dans l'escalier d'un immeuble intrigue et inquiète tous les occupants. Que contient-elle ? Qui l'a déposée là ?*

4 : *En l'an 3000 de notre ère, une famille de Terriens part en week-end pour une planète lointaine.*

II. — Inventer à partir des incitations d'un texte

(9) Voici de courtes séquences empruntées à des récits d'écrivains. Pour chacune d'elles imaginez librement un récit à votre guise dans lequel cette séquence pourrait trouver place à un moment ou à un autre.

1 : *« J'appelai. Ma voix tomba sans écho dans la nuit aigre. Le silence de nouveau nous enveloppa. Puis j'entendis le bruit sec d'un loquet que l'on fermait à double tour. »*

Daninos

2 : *« Le rocher n'était qu'à deux cents brasses. L'atteindre à la nage était simple, l'escalade était facile. Il n'y avait pas une minute à perdre... Il se déshabilla, laissant ses vêtements sur le pont. Il étudia rapidement du regard la direction qu'il aurait à suivre à travers les brisants et les vagues pour gagner le rocher, puis se précipitant la tête la première, il plongea. »*

V. Hugo

3 : *« Il était grand jour depuis longtemps quand M. s'éveilla, la tête encore un peu troublée par les souvenirs de la soirée précédente. Ses habits étaient étendus pêle-mêle dans la chambre et sa valise était ouverte à terre... Un pas lourd se fit entendre dans l'escalier de pierre qui conduisait à sa chambre. La porte s'ouvrit... »*

(10) Le texte suivant est détaché d'une œuvre littéraire dans laquelle il prend toute sa signification. Imaginez le texte (10 à 20 lignes) qui pourrait immédiatement le précéder et le texte (de même longueur) qui pourrait immédiatement le suivre :

Le vieux remit son arme contre le mur et ordonna de préparer ma chambre ; puis, comme les femmes ne bougeaient point, il me dit brusquement :

« Voyez-vous, monsieur, j'ai tué un homme, voilà deux ans, cette nuit. L'autre année, il est revenu m'appeler. Je l'attends encore ce soir. »

Près du foyer, un vieux chien, presque aveugle et moustachu, un de ces chiens qui ressemblent à des gens qu'on connaît, dormait le nez dans ses pattes.

Au-dehors, la tempête acharnée battait la petite maison, et, par un étroit carreau, une sorte de judas placé près de la porte, je voyais soudain tout un fouillis d'arbres bousculés par le vent à la lueur de grands éclairs.

Le vieux garde tout à coup fit un bon de sa chaise, saisit de nouveau son fusil, en bégayant d'une voix égarée : « Le voilà, le voilà ! je l'entends ! »

Maupassant, (« Contes »)

(11) Même exercice que le précédent à propos du texte suivant :

Le starschina (1) lui dit : « Nous vendons une journée de terre. Tout ce dont tu feras le tour en marchant pendant une journée sera à toi. Et le prix de la journée est de mille roubles. »

Pakhomm s'étonna. « Mais, dit-il, on peut dans une journée faire le tour de beaucoup de terre ! »

Le starschina se mit à rire.

« Tout sera à toi, mais à une condition. Si tu ne reviens pas en une journée à ton point de départ, ton argent est perdu.

— Et comment, dit Pakhomm, jalonner partout où je passerai ?

— Nous nous mettrons à la place qui te plaira, tu choisiras. Nous y resterons ; et toi, va, fais le tour. Nos garçons te suivront à cheval et, là où tu l'ordonneras, planteront des jalons. Puis, d'un jalon à l'autre, nous tracerons un sillon avec la charrue. Tu peux faire un tour aussi grand que tu voudras. Seulement, avant le coucher du soleil, sois revenu à ton point de départ. Tout ce que tu engloberas sera à toi. »

Pakhomm consentit...

On partit le lendemain dès l'aube...

Le starschina ôta son bonnet en peau de renard, et le mit sur le sommet de la colline.

« Voilà, dit-il le repère (2). Ton domestique va rester ici. Dépose ton argent. Pars d'ici et reviens ici. Ce dont tu feras le tour t'appartiendra. »

Léon Tolstoï, « Ce qu'il faut de terre à l'homme »

1. Starchina : le doyen, le chef du village.
2. Le repère : la marque, le signe qu'il lui faudra rejoindre avant le coucher du soleil.

(12) Même exercice que les deux précédents à propos du texte suivant :

« Une vague déferla, courut sur la grève humide et lécha les pieds de N. qui gisait face contre sable. A demi inconscient encore, il se ramassa sur lui-même et rampa de quelques mètres vers la plage. Puis il se laissa rouler sur le dos. Des mouettes noires et blanches tournoyaient en gémissant dans le ciel céruléen où une trame blanchâtre qui s'effilochait vers le levant était tout ce qui restait de la tempête de la veille. N. fit un effort pour s'asseoir et éprouva aussitôt une douleur fulgurante à l'épaule gauche. La grève était jonchée de poissons éventrés, de crustacés fracturés et de touffes de varech brunâtre, tel qu'il n'en existe qu'à une certaine profondeur. Au nord et à l'est, l'horizon s'ouvrait

librement vers le large, mais à l'ouest il était barré par une falaise rocheuse qui s'avançait dans la mer et semblait s'y prolonger par une chaîne de récifs. C'était là, à deux encablures environ, que se dressait au milieu des brisants la silhouette tragique et ridicule de la Virginie dont les mâts mutilés et les haubans flottant dans le vent clamaient silencieusement la détresse. »

Michel Tournier,
(« Vendredi ou les limbes du Pacifique »)

Nota : le héros, N., sort de l'inconscience. On pourra donc supposer que la scène précédente se déroule la veille, par exemple.

(13) Même exercice que les trois précédents.

Je vis deux flammes mobiles, deux yeux où la lune mettait un pâle étincellement, deux flammes étonnamment vivantes, deux yeux morts, pourtant, deux yeux de spectre. Et la sensation atroce de la peur me gela les os.

Pourtant, je n'en étais pas à mon coup d'essai. Je fis, du fond de mon âme, appel à celui qui me protège et cet appel dut être entendu. A quarante pas devant moi, les yeux se posaient à droite et à gauche, cherchaient le piège. Les bêtes sauvages ont, dès leur naissance, la méfiance des pièges. L'excès de sang répandu ne paraissait pas normal à celle-là.

Avec des précautions infinies, je touchai du coude le bras du major. Je pus constater qu'il avait des qualités de chasseur. Il m'avait tellement dit qu'il possédait ces qualités au degré le plus haut que je n'y croyais pas. Il s'éveilla sans bruit et, contrairement à mon attente, il souleva sans aucune émotion son fusil et épaula.

Maurice Magre, « Inde, Magie »

III. — Imaginer des récits en liaison avec les images

a) TRADUIRE UNE BANDE DESSINÉE EN RÉCIT ÉCRIT

Choisissez une bande dessinée qui retrace une aventure complète soit en une ou deux pages, soit en davantage. Après l'avoir lue attentivement :

1. *Résumez* brièvement l'ensemble de cette aventure (4 à 6 lignes).
2. *Distinguez* avec netteté les différents moments de l'action en donnant un titre à chacun.
3. *Traduisez* en mots le contenu de chaque image, sans rédiger. Pour chacune des péripéties, cherchez par quels mots, par quelles expressions on pourrait traduire à l'intention d'un lecteur qui ne verrait pas la bande dessinée ce que l'image nous révèle visuellement : l'aspect des lieux et des personnages, les caractères de ces derniers, les mouvements, les gestes, les actions.
4. *Rédigez* enfin le récit complet de cette aventure en essayant d'exprimer sous une forme vivante l'essentiel du contenu des images.
5. *Comparez* collectivement vos différents récits et critiquez-les. Toute la vie et toute la richesse d'information de la bande dessinée sont-elles passées dans vos récits ? Sinon qu'y manque-t-il ?
   Corrigez, *complétez.*

b) TRANSFORMER UN RÉCIT D'ÉCRIVAIN EN SCÉNARIO DE BANDE DESSINÉE

Choisissez un récit que vous avez lu (ex. : un poème de la Légende des siècles comme « La conscience » ou « le combat de Roland et d'Olivier » ; une fable de La Fontaine ; un épisode de « La guerre du feu », etc.) et proposez-vous de le traduire sous forme de bande dessinée. Voici quelle méthode nous vous proposons :

1ère étape :

Résumer ce récit avec clarté en une dizaine de lignes afin de bien en dominer le déroulement.

2e étape :

Distinguer avec netteté les grands moments de l'action et les noter au brouillon l'un sous l'autre en donnant un titre à chacun.

3e étape :

Etudier combien d'images sont nécessaires pour traduire chaque moment de l'action :

— Pour cela, précisez les faits qui se succèdent lors de chacun des grands moments de l'action (événement matériel, changement psychologique, etc.).

Chacun de ces faits doit-il être traduit par une image différente ou la même image peut-elle exprimer plusieurs faits ?

Notez l'une sous l'autre les différentes images que vous prévoyez en désignant chacune par l'indication résumée de son contenu.

Ex. : Image 1 : X est attablé à la terrasse d'un café.
Image 2 : Soudain deux hommes s'approchent de lui.

— Relisez l'ensemble de toutes les indications d'images. Ceci forme-t-il un récit suivi ? Avez-vous des modifications à apporter pour que la succession soit plus claire et plus fidèle au récit ?

4e étape :

Préciser le contenu exact de chaque image : noter le contenu de chaque image de telle sorte que le dessinateur puisse la réaliser en suivant vos indications clairement rédigées.

— *L'action.* Exprimez par une phrase précise l'action que doit traduire l'image.
— *Les lieux et les choses.* Décrivez avec netteté le cadre que le dessinateur devra évoquer.
— *Les personnages.* Décrivez avec précision l'aspect sous lequel le dessinateur devra les fixer (physionomie, attitudes, gestes...). Que doit-il révéler de leur caractère et comment ?
— *Les « bulles ».* Quelles paroles devront figurer dans les bulles pour traduire soit les pensées des personnages, soit les propos échangés ?

Nota

Si vous le pouvez (et, éventuellement, avec l'aide de votre professeur de dessin ou d'éducation artistique), réalisez quelques vignettes.

Comparez la bande dessinée réalisée et le récit qui a servi de point de départ. Notez les différences et essayez de les expliquer.

c) INVENTER DES SCÉNARIOS DE BANDES DESSINÉES

Il s'agit, par petites équipes de 3 ou 4, d'inventer librement des récits sur des thèmes qui vous intéressent et d'élaborer le scénario de bande dessinée qui correspondrait à chaque récit.

1ère étape :

Choisissez un thème général de récit (ex. : une aventure au Far-west, une enquête policière, un « feuilleton » familial comme à la télévision...) et précisez une situation qui stimule votre imagination.

Ex. : *Un dangereux malfaiteur terrorise Mattan-City ; deux jeunes décident de libérer leur petite ville de cette emprise.*

— *La « Joconde » vient d'être volée au musée du Louvre ; la police mène l'enquête.*

— *Trois « copains » décident de faire le tour de l'Europe en auto-stop ; mais immédiatement, les voilà jetés dans des aventures imprévues...*

2e étape :

Imaginez à partir de là un récit animé dont vous résumez d'abord l'essentiel en une quinzaine de lignes.

3e étape :

Distinguez à présent les différentes étapes de votre récit et donnez un titre précis à chacune.

4e étape :

Reprenez une par une les étapes que vous avez distinguées et précisez, pour chacune d'elles, le déroulement détaillé de l'action. Fixez alors pour chaque étape le nombre de vignettes dont vous avez besoin et notez-les en les désignant par l'indication résumée de leur contenu.

Ex. : *Image 1 : X est attablé à la terrasse d'un café.*
Image 2 : Soudain deux hommes s'approchent de lui.

5e étape :

Précisez le contenu exact de chaque image comme nous vous l'avons indiqué dans le chapitre précédent (voir : « Transformer un récit d'écrivain en scénario ou bande dessinée », 4e étape).

Nota : si vous le pouvez réalisez quelques vignettes.

d) IMAGINER DES RÉCITS À PARTIR D'UNE OU DEUX IMAGES

A vous d'imaginer à partir de ces quelques images des récits imprévus, vivants et passionnants.

I. Les embarras de la circulation au Far-west

Au fond d'une gorge étroite une caravane d'immigrants conduite par Lucky Luke rencontre un voyageur récalcitrant qui vient en sens inverse. Situation sans issue... ? Par petits groupes de deux ou trois, inventez librement, à partir de là, un récit et mettez-le au point.

La Caravane, Ed. Dupuis
© éd. Dargaud

2. *Astérix et le collecteur d'impôts*

Même si vous avez lu l'album d'où est tirée cette aventure, n'en tenez pas compte et inventez-en une autre. Qu'a-t-il pu se passer avant l'événement relaté par ces deux images ? Que peut-il se passer après ?

Nota : proposez au moins deux récits différents. L'un pourra éventuellement comporter une bataille mais l'autre écartera cette possibilité.

Astérix et le Chaudron,

NUIT ET MYSTÈRE

3. Nuit et mystère

Une ville de l'Orient (1). Des silhouettes. C'est tout... !

A partir de là, imaginez par petits groupes deux ou trois récits possibles : vous résumez l'essentiel de chacun d'eux en 5 ou 6 lignes.

● Choisissez ensuite l'idée de récit qui vous semble la meilleure puis élaborez-la en suivant les trois étapes proposées au chapitre A.

4. Recherchez librement des images qui stimulent votre imagination

et que vous découperez dans des journaux, des revues, etc.

A partir de la même image chacun cherche à inventer un récit différent qu'il résume en une douzaine de lignes. Les différents canevas de récit sont lus à la classe qui désigne celui qu'elle juge le meilleur. Celui-ci est alors mis au point et rédigé par petits groupes de 3 ou 4 en suivant les étapes indiquées au chapitre A.

5. Le récit psychologique et l'image

● Choisissez un type humain à mettre en scène : l'avare, l'égoïste, le hâbleur, le timide, le scrupuleux (qui craint toujours de mal agir, de ne pas faire assez bien...), le distrait, le casse-cou, le rêveur (qui se raconte perpétuellement des histoires), le naïf (que chacun dupe)...

● Cherchez librement dans toutes les illustrations à votre disposition, un visage, une silhouette qui vous paraisse bien représenter le type humain choisi. Ainsi aura-t-il désormais sous vos yeux une « présence » physique.

● Imaginez maintenant un récit qui mette le personnage en scène en choisissant des événements qui révèlent bien son caractère.

(1) Office du Tourisme turc, Paris.

Itinéraire 2 :
METTRE EN PLACE LES « ROUAGES » DU RÉCIT*

I. — Découvrir les « rouages » qui rendent possible le fonctionnement d'un bon récit

Ces « rouages » essentiels nous allons les dégager de l'histoire suivante qui est le résumé d'un film.

■ L'histoire

En 1943, dans la Grèce occupée par les Allemands, Zerba, un paysan entré dans la résistance, est chargé de délivrer son meilleur ami, Mellec, fait prisonnier par un groupe de soldats allemands. Dans cette mission périlleuse, il se heurte aux soldats ennemis et à un traître qui s'est glissé dans les rangs des résistants. Mais il aura l'appui des paysans de la vallée et d'une jeune fille, Mélina, qui sacrifiera sa vie pour lui venir en aide. Malgré la chaleur torride qui l'épuise, il réussira grâce à sa parfaite connaissance de la région.

■ Les rouages de l'histoire

En fait, dans ce résumé, nous ne connaissons pas la succession des événements qui composent l'histoire mais **les facteurs, les éléments qui la rendent possible.**

Quels sont ces éléments indispensables ?

1. La situation, les circonstances de temps et de lieu.	Où ? Quand ? Comment ?	en 1943, dans la Grèce occupée par les Allemands
2. Le héros-sujet ou l'action	Qui ?	Zerba, un paysan entré dans la résistance
3. Le but, le projet du héros	Que veut-il faire ? ou : que doit-il faire ? Quelle est son ambition, son désir ?	délivrer son meilleur ami fait prisonnier par les Allemands
4. Les alliés du héros, les facteurs favorables	Avec l'aide de qui ? Avec l'aide de quoi ?	les autres paysans une jeune fille, Mélina une région familière
5. Les opposants au héros, les obstacles	Contre qui ? Contre quoi ?	les soldats ennemis un traître une chaleur épuisante

II. — Faire fonctionner ces « rouages »

Exercices d'entraînement.

Les « rouages » du récit sont classés ci-dessous par séries qui vous révèlent quelques-unes des possibilités pratiquement illimitées qui s'offrent à vous.

* Corrigé page 188.

Vous choisirez en (1) un héros (individu ou groupe). Vous préciserez en (2) le projet qu'il désire réaliser et en (3) la situation. Trouvez ensuite en (4) deux ou trois alliés ou facteurs favorables et en (5) deux ou trois opposants ou facteurs défavorables. Composez ensuite un récit que vous résumerez en une dizaine de lignes.

Renouvelez deux ou trois fois cet exercice.

(1) Le personnage qui sera le héros de votre histoire (ou le groupe de personnages).

Un détective privé - un savant - un marin - un jeune orphelin - deux camarades - un groupe d'explorateurs - un fantôme - un espion - un chien - un shérif - un vieux couple - un chauffeur de taxi - un nain - une fée - trois jeunes filles - un épicier - deux paysans - des ouvriers en grève - un journaliste.

(2) Le but, le désir ou la nécessité de votre héros.

— Faire le tour du monde - guérir - acquérir la gloire - se débarrasser de ses ennemis - dominer un pays - devenir invisible - connaître un secret - être aimé par quelqu'un - posséder un cheval - acheter une moto - sortir d'un labyrinthe - devenir champion cycliste - faire un reportage sensationnel - découvrir le coupable d'un crime - chasser les envahisseurs - échapper à ses poursuivants - s'évader de prison - devenir riche - trouver un ami - être élu député - posséder un chien - vivre à la campagne - avoir une maison à soi - recueillir l'héritage d'un oncle mort au Brésil.

(3) Les circonstances de l'histoire

- De nos jours - au siècle dernier - dans mille ans - au Moyen Age - à l'époque de la préhistoire - au temps des Croisades - sous la Révolution de 1789 - pendant la dernière guerre - au cours des vacances - un jour de fête - dans l'Antiquité - sous l'Ancien Régime.

- Dans le Far-West - sur le Nil - dans la forêt brésilienne - sur les canaux d'Amsterdam - à New York - sur une planète lointaine - à la cour de Louis XIV - en avion - dans une H.L.M. - dans les rues d'une petite ville - sur la Côte d'Azur - dans un château-fort - sur un bateau - au fond de l'Océan.

(4) Les alliés et les facteurs favorables

- Un ours - une vieille dame - les membres d'une tribu - les policiers - des amis - des êtres étranges - un dragon - un cheval - le hasard - un oiseau.

- Une fleur magique - une étoile - la pluie - la forêt - un refuge - un buisson - la nuit - un livre.

- *Alliés intérieurs : le courage - l'enthousiasme - la ténacité - la colère - la confiance - l'amour.*

(5) Les opposants, les obstacles, les facteurs défavorables

- *Obstacles naturels :* montagne, fleuve, tempête, avalanche, éruption volcanique, orage, soleil, gouffre, forêt, pluie, inondation, obscurité, froid.

- *Obstacles vivants :* un concurrent, des ennemis, un policier, un chien, un pompiste, un karatéka, un photographe, des insectes, un traître, un serpent, un fou.

- *Obstacles intérieurs :* ignorance, fatigue, faim, souffrance, maladie, doute, peur, honte, remords, défaillance, maladresse, hésitation.

- *Evénements défavorables :* une panne, une grève des trains, un éboulement, la disparition d'un objet.

Itinéraire 3 :
CONSTRUIRE UNE HISTOIRE CLAIRE, LOGIQUE ET VIVANTE*

La même histoire (par exemple un combat, une évasion, une ascension difficile...) peut être racontée sous forme d'une bande dessinée, d'un film ou d'un récit écrit. Et même sous la forme écrite, cette histoire racontée par cinq auteurs différents aboutira à cinq récits différents.

Il faut donc distinguer l'histoire proprement dite du récit qu'on peut en faire. Et notre première étape, avant de rédiger, va consister à imaginer et à construire une histoire capable d'éveiller l'intérêt du lecteur.

Comment procéder pour organiser la succession des événements qui vont composer notre histoire ?

I. — Un exemple : Renart et les poissons

Voici noté ci-dessous la succession des événements qui constituent cette histoire :

1. *En ce matin d'hiver, Renart, affamé, rôde dans la campagne à la recherche d'une nourriture.*

2. *Il aperçoit soudain des marchands en voiture qui reviennent de la mer avec un chargement de poissons.*

3. *Renart fait le mort au milieu du chemin.*

4. *Les marchands le ramassent dans l'intention de récupérer sa fourrure et le lancent dans la voiture.*

5. *Renart dévore des poissons jusqu'à satiété.*

6. *Sa faim rassasiée, il enroule autour de lui un chargement d'anguilles pour sa famille.*

7. *Il saute alors de la voiture et s'éloigne en lançant des quolibets aux marchands.*

8. *Renart, repu, rentre au logis où sa femme et ses fils l'accueillent avec des transports de joie.*

■ Exercices

(1) Selon la même disposition numérotée, notez à votre choix la succession des événements :

— d'une fable de La Fontaine — d'une bande dessinée — d'une nouvelle ou d'un court récit. (Ex. : « Le petit fût » ou « la ficelle » de Maupassant).

* Corrigé pages 188 et 189.

II. — Première approche : Le déroulement d'ensemble d'un récit

Analysons l'histoire « Renart et les poissons »

— Elle part d'une situation initiale (exprimée dans la phrase 1) pour aboutir à une situation finale (exprimée dans la phrase 8). Comparez ces deux situations. Quelles différences relevez-vous ?

— L'action proprement dite (phrases 2, 3, 4, 5, 6, 7) est consituée par la transformation qui permet de passer de la situation initiale à la situation finale.
Résumez cette action en une phrase.

— Le déroulement d'ensemble d'un récit peut donc être représenté par le schéma suivant :

Situation initiale	Action proprement dite	Situation finale
Renart est affamé P 1	*Par une ruse, Renart s'empare des poissons que transportent deux marchands P 2, 3, 4, 5, 6, 7*	*Renart est repu P 8*

Exercices

(2) Voici une situation initiale et une situation finale. Imaginez une action qui permette de passer de l'une à l'autre et résumez-la en une phrase.

— *Situation initiale :* la famille Tabarlet vivait misérablement de la culture d'une petite terre.

— *Situation finale :* la famille Tabarlet, la plus riche de la région, vit maintenant dans l'opulence.

(3) Voici plusieurs situations initiales. Imaginez pour chacune

1 : Une situation finale que vous exprimez en une phrase.

2 : Une action qui permette de passer de l'une à l'autre (vous le résumez également en une phrase).

1. Le petit village de Matour vivait sans problèmes loin des routes touristiques.
2. X. quitte son travail, le sourire aux lèvres, le vendredi soir, pour aller passer un week-end à la neige.
3. Le bal public se déroulait dans la gaîté.

III. — Deuxième approche : L'enchaînement des événements dans un récit

Revenons à l'histoire : Renart et les poissons

En fait l'action passe par plusieurs étapes distinctes.

1. Il faut d'abord qu'un événement (ou une décision) déclenche l'action. Ce déclenchement est exprimé dans la phrase 2 : si Renart n'avait pas aperçu les marchands il n'y aurait pas eu de récit. On dit que l'action se noue.
2. Ensuite Renart ruse pour s'emparer des poissons et y parvient. Plusieurs événements s'enchaînent pour composer cette action (exprimés dans les phrases 3 à 6). On dit que l'action se développe à travers diverses péripéties.
3. Enfin Renart saute de la voiture et s'éloigne. L'action se dénoue : elle est achevée.

- Nous pouvons donc préciser ainsi notre schéma résumant l'enchaînement d'un récit.

Situation initiale	**Action proprement dite**			**Situation finale**
1	2	3	4	5
	L'action se déclenche	L'action se développe en 3 ou 4 péripéties	L'action se dénoue	
Renart est affamé	*il aperçoit des marchand*	— *il fait le mort* — *les marchands le ramassent* — *Renart se rassasie* — *il prend un chargement d'anguilles*	*il saute de la voiture et s'éloigne*	*Renart est repu*

■ Exercices

(4) En utilisant le schéma à 5 cases ci-dessus, résumez le récit suivant :

La nuit était épaisse et grondante d'orage. Véronique, dont la voiture était tombée en panne, rejoignait à pied, à travers les bois, la maison isolée où elle habitait. Soudain, à la lueur d'un éclair, elle entrevit une forme noire qui avançait vers elle. Terrorisée, elle se mit à courir ; la forme bondissait à sa poursuite. Elle accéléra sa course, haletante, et sentait la présence se rapprocher de seconde en seconde. Un cri brusque, le bruit d'une chute dans la broussaille ! Véronique venait de trébucher contre une branche morte et elle gisait au sol. En trois bonds, la bête fantastique fut sur elle... « Pyrrhus ! » Mais oui, c'était son chien, son propre chien qui l'avait flairée dans la nuit !

Encore chancelante d'émotion, elle rejoignit sa maison, à deux cents mètres, avec son chien qui gambadait autour d'elle.

(5) Voici dans la grille à 5 cases ci-dessous trois récits A - B - C. Mais ces récits sont incomplets. En prenant appui sur ce qui vous est donné, imaginez le contenu des cases vides.

	Situation initiale	**Action proprement dite**			**Situation finale**
	1	2	3	4	5
		elle se déclenche	elle se développe en 3 ou 4 péripéties	elle se dénoue	
A	*Le petit village de St-Pierre-le-Haut vivait dans la tranquillité*				*Le petit village a retrouvé sa tranquillité*
B	*La Joconde a disparu du musée du Louvre*	*Sherlock Holmes décide de mener l'enquête*			
C		*Soudain, un incendie éclate*			

(6) Voici une situation initiale : « X est dans une situation difficile ».

1. Imaginez qui peut être X et quelle est cette situation difficile ?
2. Il faut aboutir à la situation finale « X est sauvé ». Imaginez l'action qui permettrait de passer d'une situation à l'autre.

(7) Imaginez un récit qui pourrait avoir pour titre, à votre choix : un défi — une étrange aventure — une énigme.

Résumez chaque moment de ce récit dans un schéma à 5 cases.

Itinéraire 4 :
INVENTER DES PÉRIPÉTIES*

I. — A chaque étape de développement du récit, s'exercer à découvrir toutes les possibilités d'action

Il s'agit là d'apprendre à faire jouer systématiquement son imagination.

■ Exemple

« Sur la route, un motocycliste en zigzaguant empêche l'automobiliste qui le suit de le dépasser ».

— A partir de cette situation, dénombrons les possibilités d'action qui s'ouvrent au récit.

1. *L'automobiliste reste derrière le motocycliste.*
2. *L'automobiliste double en catastrophe.*
3. *L'automobiliste prend un chemin de traverse et rejoint la route plus loin.*
4. *L'automobiliste fonce sur le motocycliste et le blesse.*
5. *L'automobiliste perdant tout contrôle prend son revolver et tire sur le motocycliste.*
6. *L'automobiliste s'arrête à la gendarmerie pour porter plainte.*
7. *Des motards de la police ont vu la scène et interviennent.*
8. *Le motocycliste en zigzaguant fait une chute.*
9. *Une voiture venant en sens inverse accroche le motocycliste.*
10. *Le motocycliste finit par se lasser de ses propres excentricités...*, etc.

— Il vous appartient ensuite de choisir la possibilité la plus intéressante : soit parce qu'elle crée une situation originale et qui permettra des rebondissements, soit parce qu'elle ajoute à la tension dramatique et donc à l'intérêt du récit, soit parce qu'elle révèle mieux que les autres le caractère des personnages.

■ Exercices

(1) Recherchez toutes les possibilités d'action qui s'ouvrent *immédiatement après* **chacune des situations suivantes.**

1. Un pêcheur voit se poser dans un champ à cent mètres de lui une soucoupe volante.
2. Un homme est découvert assassiné dans une salle de cinéma.
3. Un lion s'échappe d'une ménagerie.
4. X, perdu dans une forêt, s'est réfugié dans une ferme abandonnée pour passer la nuit. Tout à coup la porte s'ouvre.

(2) Voici une situation initiale : « Cette nuit-là, une trentaine de couples dansaient dans la salle des fêtes de la municipalité. »

Recherchez tous les événements qui pourraient déclencher un récit. *Exemple : un incendie éclate.*

* **Corrigé pages 189 et 190.**

(3) Voici le résumé d'actions qui se sont développées chacune en un récit complet. Proposez chaque fois plusieurs dénouements possibles.

1. Un lion s'échappe d'une ménagerie et sème l'effroi dans les rues.
2. Un chien fait 150 km, seul, pour revenir à la maison de son maître.

II. — Faire ressortir l'opposition entre les forces en présence et donner l'impression que tantôt l'une, tantôt l'autre va l'emporter

D'une façon générale un récit a souvent la forme d'une lutte, d'une opposition entre plusieurs forces en présence. Comme dans un match passionnant, tantôt un camp, tantôt l'autre semble devoir l'emporter et jusqu'à la fin le spectateur s'interroge sur l'issue. Sa curiosité est ainsi maintenue en éveil jusqu'au dénouement.

Prenons l'exemple d'une ascension périlleuse

• Dégageons les forces en présence :

La tension dramatique sera d'autant plus forte que la lutte apparaîtra mieux entre la volonté et le courage des alpinistes (force de réalisation) et les obstacles qu'ils vont rencontrer (force d'opposition). Leur situation va donc osciller du positif au négatif à travers l'alternance des péripéties.

• Dressons le schéma des péripéties

Le « suspense » va résulter de l'alternance des situations négatives (un obstacle met leur vie en danger) et des situations positives (l'obstacle est surmonté).

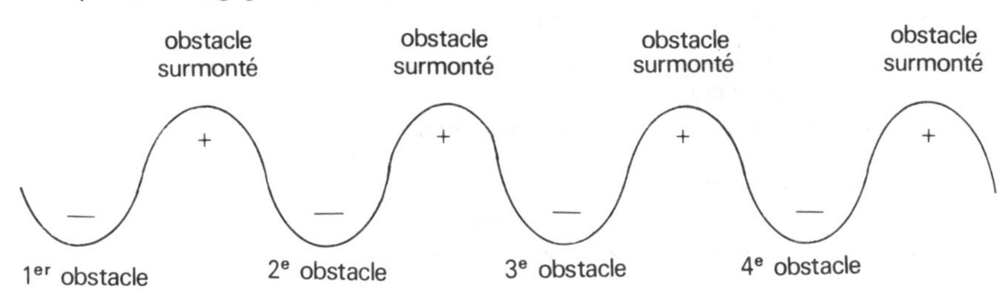

A chaque obstacle nouveau correspond donc une péripétie.

• Notons les péripéties l'une sous l'autre (simples notations)

— **1re péripétie** : *Obstacle : un passage presque vertical - muscles tendus pour s'accrocher - toute l'attention en éveil.* **Obstacle surmonté** : *le premier de cordée atteint enfin une sorte de niche d'où il peut « assurer » ses camarades. L'ascension continue.*

— **2e péripétie** : **Obstacle** : *tout à coup l'orage éclate - Les alpinistes s'immobilisent, aveuglés par la pluie - Ils se collent à la paroi - Fatigue croissante.* **Obstacle surmonté** : *Peu à peu l'averse diminue et l'ascension peut reprendre.*

— **3ᵉ péripétie : Obstacle** : *mais la roche où l'eau ruisselle est glissante - Le plus jeune dérape et pousse un cri.* **Obstacle surmonté** : *ses camarades le retiennent de justesse et la cordée continue de progresser avec d'infinies précautions.*

— **4ᵉ péripétie : Obstacle** : *Plus que quelques mètres avant le sommet de la paroi - Soudain un éclair - Rocher frappé par la foudre : roule en avalanche - Passe à cinquante centimètres des alpinistes terrorisés.* **Obstacle surmonté** : *Ils sont indemnes et s'engagent dans la dernière étape de l'ascension.*

• Le schéma d'ensemble du récit est alors le suivant

Situation initiale	Action proprement dite			Situation finale
1	2	3	4	5
	l'action se déclenche	l'action se développe + — + — + — +	l'action se dénoue	

1. **Situation initiale** : *quatre jeunes alpinistes décident de tenter l'ascension d'une paroi montagneuse difficile bien que le bulletin météorologique soit défavorable.*
2. **L'action se déclenche** : *ils s'engagent dans l'abrupt.*
3. **L'action se développe** : *l'ascension avec l'alternance de ses quatre péripéties.*
4. **L'action se dénoue** : *ils atteignent enfin le sommet de la paroi.*
5. **Situation finale** : *les quatre alpinistes épuisés reprennent des forces et prennent conscience de leur imprudence.*

■ Exercices

(4) Vous devez, avec un camarade, monter une énorme malle par un escalier étroit et tortueux.

1 : Précisez quelles sont les forces en présence.

2 : Imaginez l'alternance des péripéties que vous noterez l'une sous l'autre.

(5) Notez les péripéties d'un combat entre des adversaires de votre choix. Tantôt un camp, tantôt l'autre semble l'emporter.

(6) Sur l'un des thèmes suivants à votre choix.

1 : Imaginez d'abord un récit que vous résumerez sous forme d'une grille à 5 cases.

2 : Reprenez ensuite le détail des péripéties avec l'alternance positif-négatif et notez-les comme nous l'avons fait pour « une ascension périlleuse ».

Thèmes : une évasion — une poursuite — une enquête policière — une course — l'exploration d'une région inconnue.

(7) Choisissez l'un des *thèmes psychologiques* **suivants et procédez comme pour l'exercice 6.**

1 : Coupable d'une infraction (escroquerie, vol, crime...) pour laquelle un autre est accusé, X est tenaillé par les remords et il se demande s'il va se livrer à la justice.

2 : Un amoureux timide voudrait se déclarer à sa Belle. Il se décide, renonce au dernier instant, se décide une nouvelle fois, recule encore, etc.

Synthèse :

MÉTHODE PRATIQUE POUR CONSTRUIRE ET RÉDIGER UN RÉCIT

1re étape

I. — Mettez en place les « rouages » qui rendront possible le fonctionnement de votre récit

D'abord dégagez dans ses grandes lignes les données de l'histoire que vous voulez raconter. De quoi va-t-il s'agir ?

Résumez, pour vous, cette histoire en 5 ou 6 lignes.

Précisez ensuite, point par point, les cinq « rouages » nécessaires (voir page 114).

1. **La situation** : où ? quand ? comment ?
2. **Le héros** - sujet de l'action : qui ?
   — un individu
   — un groupe d'individus
3. **Le but, le désir du héros** - que veut-il ou que doit-il faire ?
4. **Les alliés du héros**, les facteurs favorables.
   — Avec l'aide de qui ?
   — Avec l'aide de quoi ?
5. **Les opposants au héros, les obstacles.**
   — Contre qui ?
   — Contre quoi ?

2e étape

II. — Construisez une histoire claire, logique et vivante

Résumez-la selon le schéma à cinq cases (voir page 118).

Situation initiale	**Action proprement dite**			**Situation finale**
1	2	3	4	5
	L'action se déclenche	l'action se développe en quelques péripéties	l'action se dénoue	

Précisez les péripéties en mettant en opposition les forces en présence :
1. le héros et ses alliés.
2. les opposants et les obstacles.

3e étape

III. — Rédigez votre récit

1. **Une introduction vivante et claire** qui expose les données de la situation initiale.

Elle répond aux questions suivantes :

— Quand ? Où ? Evoquez brièvement les lieux.
— Qui ? Nommez les personnages et donnez sur eux les indications nécessaires au lecteur.
— Précisez éventuellement les autres éléments de la situation initiale utiles au lecteur.

• **Exemple A**

Maître Chicot, l'aubergiste d'Epreville (1), arrêta son tilbury (2) devant la ferme de la mère Magloire. C'était un grand gaillard de quarante ans, rouge et ventru, et qui passait pour être malicieux.
Il attacha son cheval au poteau de la barrière, puis il pénétra dans la cour. Il possédait un bien attenant aux terres de la vieille, qu'il convoitait depuis longtemps. Vingt fois il avait essayé de les acheter, mais la mère Magloire s'y refusait avec obstination.
« J'y sieus née, j'y mourrai, » disait-elle.
Il la trouva épluchant des pommes de terre devant sa porte. Agée de soixante-douze ans, elle était sèche, ridée, courbée, mais infatigable comme une jeune fille.

Maupassant (Le petit fût)

(1) Village de Normandie.
(2) Petite voiture à cheval.

• Analyse : précisez ce que vous apprend cette introduction. Est-elle vivante ?

2. Le déclenchement de l'action

Il doit survenir rapidement et avec netteté.

• **Exemple B**

(Dans son introduction l'auteur, Mérimée, vient d'évoquer une ville de Prusse envahie par les rats. Tout est dévoré. La famine menace. Et brusquement l'action se déclenche).
« Voilà qu'un certain vendredi se présente devant le bourgmestre de la ville, un grand homme, basané, sec, grands yeux, bouche fendue jusqu'aux oreilles, habillé d'un pourpoint rouge avec un chapeau pointu... Il offrit, moyennant cent ducats, de délivrer la ville du fléau qui la désolait. Vous pensez bien que le bourgmestre et les bourgeois acceptèrent. »

A partir de là, l'action va se développer.

• Analyse. Montrez que la situation est nette et l'action désormais engagée.

3. Le déroulement des péripéties

Les péripéties doivent s'enchaîner avec clarté et maintenir jusqu'au dénouement l'intérêt éveillé.

• **Exemple C**

Le récit suivant est la suite directe de l'exemple **B** (déclenchement de l'action).

1 - Aussitôt l'étranger tira de son sac une flûte de bronze ; et, s'étant planté sur la place du marché, devant l'église, mais en lui tournant le dos, notez bien, il commença à jouer un air étrange, et tel que jamais flûteur allemand n'en a joué. Voilà qu'en entendant cet air, de

tous les greniers, de tous les trous de murs, de dessous les chevrons et les tuiles des toits, rats et souris, par centaines, par milliers, accoururent à lui. L'étranger, toujours flûtant, s'achemina vers le Weser ; et là, ayant tiré ses chausses, il entra dans l'eau suivi de tous les rats de Hameln, qui furent aussitôt noyés. Il n'en restait plus qu'un seul dans toute la ville, et vous allez voir pourquoi. Le magicien, car c'en était un, demanda à un traînard, qui n'était pas encore entré dans le Weser, pourquoi Klauss, le rat blanc, n'était pas encore venu.
— Seigneur, répondit le rat, il est si vieux qu'il ne peut plus marcher.
— Va donc le chercher toi-même, répondit le magicien. Et le rat de rebrousser chemin vers la ville, d'où il ne tarda pas à revenir avec un vieux gros rat blanc, si vieux, si vieux, qu'il ne pouvait pas se traîner. Les deux rats, le plus jeune tirant le vieux par la queue, entrèrent tous les deux dans le Weser, et se noyèrent comme leurs camarades. Ainsi la ville en fut purgée.

2 - Mais, quand l'étranger se présenta à l'hôtel de ville pour toucher la récompense promise, le bourgmestre et les bourgeois, réfléchissant qu'ils n'avaient plus rien à craindre des rats, et s'imaginant qu'ils auraient bon marché d'un homme sans protecteurs, n'eurent pas honte de lui offrir dix ducats, au lieu des cent qu'ils avaient promis. L'étranger réclama : on le renvoya bien loin. Il menaça alors de se faire payer plus cher s'ils ne maintenaient leur marché au pied de la lettre. Les bourgeois firent de grands éclats de rire à cette menace, et le mirent à la porte de l'hôtel de ville, l'appelant beau preneur de rats ! injure que répétèrent les enfants de la ville en le suivant par les rues jusqu'à la Porte-Neuve.

3 - Le vendredi suivant, à l'heure de midi, l'étranger reparut sur la place du marché, mais cette fois avec un chapeau de couleur de pourpre, retroussé d'une façon toute bizarre. Il tira de son sac une flûte bien différente de la première et, dès qu'il eut commencé d'en jouer, tous les garçons de la ville, depuis six jusqu'à quinze ans, le suivirent et sortirent de la ville avec lui...
Ils le suivirent jusqu'à la montagne de Koppenberg, auprès d'une caverne qui est maintenant bouchée. Le joueur de flûte entra dans la caverne et tous les enfants avec lui. On entendit quelque temps le son de la flûte ; il diminua peu à peu ; enfin l'on n'entendit plus rien.
Les enfants avaient disparu, et depuis lors, on n'en eut jamais de nouvelles.

Mérimée (Le joueur de flûte de Hameln)

• Analyse. Résumez chacune des péripéties et montrez comment elles s'enchaînent.

4. La conclusion du récit

Elle peut être simplement constituée par le dénouement. Ce dénouement qui marque l'aboutissement de l'action doit être clair, logique et vraisemblable.

— Dans le récit de Mérimée (Le joueur de flûte de Hameln), le dénouement est constitué simplement par les deux dernières lignes : *« Les enfants avaient disparu, et depuis lors on n'en eut jamais de nouvelles. »*

— Revenez à l'introduction proposée dans l'exemple A *(Le petit fût)*. Maître Chicot va obtenir que la mère Magloire lui vende sa ferme en viager (la vieille en conserve la jouissance et touche une rente de maître Chicot. Mais celui-ci deviendra propriétaire de la ferme à la mort de la mère Magloire). Alors il s'arrange pour la faire boire afin de hâter sa fin. Et voici le dénouement : *Elle mourut l'hiver suivant, vers la Noël, étant tombée, saoule, dans la neige. Et maître Chicot hérita de la ferme, en déclarant : « C'te manante, si elle s'était point boissonnée, alle en avait bien pour dix ans de plus. »*

Maupassant

On peut aussi rechercher un dénouement imprévu et qui constitue dans sa soudaineté « un coup de théâtre ».

• **Exemple** :

(Perdus dans le désert, deux êtres marchent depuis des jours vers un puits noté sur une carte. La soif les tenaille. Et soudain, ils aperçoivent au loin deux arbres qui signalent la présence du puits).

« Le dernier kilomètre, nous l'achevâmes presque en courant. On voyait déjà le trou, l'orifice du puits.
Enfin nous l'atteignîmes. — Il était vide ! » (P. Benoît)

Le dénouement peut être également suivi de quelques réflexions ou de l'exposé de la situation finale.

• **Exemple** : voici la conclusion du récit « Le secret de maître Cornille ».

« Puis, un matin, maître Cornille mourut, et les ailes de notre dernier moulin cessèrent de virer, pour toujours cette fois... Cornille mort, personne ne prit sa suite. Que voulez-vous !... tout a une fin en ce monde, et il faut croire que le temps des moulins à vent était passé comme celui des coches sur le Rhône, des parlements et des jaquettes à grandes fleurs. » A. Daudet

Itinéraire 5 :

ÉVOQUER LES LIEUX ET LES OBJETS : LA DESCRIPTION*

I. — L'approche par l'image : une description sur le vif

1. Commentaire oral de l'image (placée page suivante)

Vous voici en autocar de tourisme à travers la Bavière (Allemagne). Sur la route qui domine cette charmante station alpine, le véhicule s'arrête et l'animateur du voyage, décrochant son micro, vous invite à découvrir la beauté du site : *« Mesdames et Messieurs, voici Oberstdorf, station de montagne renommée à 800 m d'altitude. Admirons le panorama qui s'offre à nos yeux. Au premier plan... »*

Substituez-vous à l'animateur et achevez oralement sa présentation en vous efforçant d'éveiller tour à tour l'attention des voyageurs sur les différents aspects de ce paysage.

2. Description écrite de l'image

Ce pittoresque point de vue sur une vallée alpine a été sélectionné comme étape d'un itinéraire touristique. Un fascicule doit être édité par les syndicats d'initiative de la région et l'on vous demande de rédiger pour lui une description de ce paysage.

Attention ! vos lecteurs n'auront sous les yeux ni le paysage, ni l'image. Il s'agit donc, avec des mots, d'éveiller dans leur imagination toutes les sensations qu'ils auraient perçues directement : les formes, les couleurs, les lumières, la disposition des éléments du paysage l'un par rapport à l'autre, les odeurs et les bruits (ou la qualité du silence).

Comment procéder ?

- *1re étape : Observez le paysage dans son ensemble et dégagez les traits dominants.*

— De quel type de paysage s'agit-il ?
— Quelles sont ses caractéristiques essentielles ?
— Quelle impression dominante s'en dégage ?

Notez au brouillon quelques éléments de réponse à ces questions.

- *2e étape : Analysez en détail ce paysage.*

a) Divisez votre champ d'observation en secteurs.

Ex. 1 : au premier plan, au second plan, au fond.

Ex. 2 : au centre, dans le lointain, plus près de nous.

* **Corrigé pages 190 et 191.**

VUE GENERALE D'OBERSTDORF

Cliché aimablement prêté par l'Office allemand du Tourisme, 4, place de l'Opéra, Paris, et paru dans la brochure 1974 de VACANCES ET VOYAGES, 14, rue de Lancry, Paris-10e.

b) Pour chaque secteur notez les éléments descriptifs essentiels en vous inspirant de la « grille » suivante.

— D'abord nommer avec exactitude et précision. *Ex. : Au fond, une chaîne de montagnes (le sommet, les crêtes, les versants...).*
— Ensuite caractériser par des adjectifs justes et pittoresques, des verbes qui peignent, des comparaisons..., etc. *Ex. : chaîne de montagnes : élevées, rocheuses, abruptes, enneigées, sculptées par l'érosion... — se dresser, dominer...*
— Enfin situer par rapport aux autres éléments : *Ex. : dominer la vallée, barrer l'horizon, couronner le village...*

- **3e étape** : *Rédigez la description en utilisant les éléments descriptifs que vous avez réunis.*

a) Rédigez une phrase (ou deux) de présentation d'ensemble qui précise où nous sommes et dégage le caractère essentiel du paysage et l'impression dominante.
Ex. : Le village touristique d'Oberstolorf se niche au creux d'une riante vallée glaciaire que domine les hauts sommets des Alpes bavaroises.

b) Consacrez un court paragraphe descriptif à chacun des secteurs.
Exemple :
— De la route, l'œil découvre, au premier plan...
— Au second plan...
— Couronnant ce paysage, à l'horizon...

c) Achevez par une courte réflexion finale qui résume vos impressions ou vos sensations.

3. Prolongement et exercices

1. Cherchez une carte postale ou une image représentant un paysage que vous aimez. Préparez sa description et rédigez-la en suivant les trois étapes que nous vous avons proposées.
2. Réunissez quatre ou cinq images représentant des régions très différentes (ex. : la Provence, les Alpes, la Beauce...) ou des aspects contrastés d'une même région.
A propos de chacune de ces images, ne réalisez que la première étape de la description, c'est-à-dire présentez-la en une ou deux phrases qui la caractérise vigoureusement dans ses éléments essentiels. Vous pourrez ainsi constituer un véritable album où chaque image est brièvement présentée.
3. Réunissez des images représentant des maisons villageoises ou rurales bien caractéristiques (vous pouvez constituer un petit album). Décrivez-en quelques-unes avec précision : d'abord oralement à travers une recherche collective puis individuellement et par écrit.
4. Même travail qu'en (3) mais les images représenteront des châteaux ou des monuments remarquables par leur architecture.
5. Réunissez quelques images caractéristiques d'un paysage industriel (usines, banlieue...) et entreprenez de les décrire en suivant les trois étapes indiquées.
6. En équipe, constituez un panneau-montage (cartes postales, dessins...) présentant votre région ou votre ville. Vous accompagnerez les images de vos commentaires personnels.

II. — L'approche par les textes : des exemples de descriptions

■ **La description utilitaire ou technique** doit permettre d'identifier un objet (objet perdu par exemple) ou de comprendre sa structure et son fonctionnement.

Ex. : « Un compas est un instrument composé de deux branches égales articulées à leur sommet. A l'extrémité de l'une d'elles est fixée une pointe sèche ; à l'extrémité de l'autre un traceur (crayon, encre...).
Par écartement de ces branches on peut reporter des mesures ou tracer des cercles et des arcs. »

• *Analyse*

1. Comparez cette description avec la description précédente. En quoi diffèrent-elles ?
2. Cette description fait-elle comprendre avec clarté : la structure d'un compas (par quels mots essentiels ?), la fonction d'un compas ?

• *Application*

Décrivez ainsi avec netteté : une paire de tenaille, une boussole, une bicyclette...

■ **La description pittoresque** veut rendre présents à l'imagination du lecteur des lieux, des objets, une atmosphère. Elle évoque des sensations de tous ordres (formes, couleurs, lumières, sons, odeurs...) qui éveillent chez le lecteur d'un récit le sentiment même de la réalité. Songez combien, dans un film, l'image concrète des lieux où se déroule l'action est importante.

Les textes qui suivent constituent des descriptions de cet ordre.

(1) Un château abandonné

« J'arrivai au château par la longue avenue de sapins ; je traversai à pied les cours désertes ; je m'arrêtai à regarder les fenêtres fermées ou demi-brisées, le chardon qui croissait au pied des murs, les feuilles qui jonchaient le seuil des portes, et ce perron solitaire où j'avais vu si souvent mon père et ses fidèles serviteurs. Les marches étaient couvertes de mousse ; le violier jaune croissait entre leurs pierres déjointes et tremblantes...

Je parcourus les appartements sonores où l'on n'entendait que le bruit de mes pas. Les chambres étaient à peine éclairées par la faible lumière qui pénétrait entre les volets fermés... Partout les salles étaient détendues et l'araignée filait sa toile dans les couches abandonnées.

Je sortis précipitamment de ces lieux, je m'en éloignai à grands pas, sans oser tourner la tête. »

Chateaubriand

Chateaubriand visite le château, aujourd'hui désert, où il vécut enfant.

1. Cette description suit un plan précis. N'est-il pas imposé par le déplacement même de l'observateur ? Quelles sont les différentes étapes ?
2. Cette description veut dégager une impression dominante : la solitude et l'abandon. Montrez que tous les détails descriptifs ont été choisis en fonction de cette impression.

• *Application :*

Vous visitez, durant les vacances, votre établissement scolaire étrangement désert. Décrivez-le en exprimant vos impressions et vos sentiments.

(2) Un paysage provençal

« Un immense paysage en demi-cercle montait devant moi jusqu'au ciel : de noires pinèdes, séparées par des vallons, allaient mourir comme des vagues au pied de trois sommets rocheux.

Autour de nous, des croupes de collines plus basses accompagnaient notre chemin, qui serpentait sur une crête entre deux vallons. Un grand oiseau noir, immobile, marquait le milieu du ciel, et de toutes parts, comme d'une mer de musique, montait la rumeur cuivrée des cigales. Elles étaient pressées de vivre, et savaient que la mort viendrait avec le soir.

Les terrasses... étaient couvertes d'oliviers à quatre ou cinq troncs, plantés en rond. Ils se penchaient un peu en arrière pour avoir la place d'épanouir leurs feuillages qui formaient un seul bouquet. Il y avait aussi des amandiers d'un vert tendre, et des abricotiers luisants ».

Marcel Pagnol

- **Analyse :**

1. Distinguez les différentes étapes suivies par cette description et proposez un titre pour chacune.
2. Reconstituez à partir de ce texte une grille comme celle que vous avez utilisée pour réunir les matériaux de votre description (page135) : dans la colonne « Nommer » notez les éléments descriptifs du texte (ex. : pinèdes, collines, cigales, oliviers...) ; en face dans les colonnes « caractériser » et « situer », noter les indications correspondantes (adjectifs, comparaisons...) que vous trouvez dans le texte.

- ***Application :***

Evoquez à votre tour un paysage que vous aimez.

(3) Un orage au Hoggar

« Il était six heures du matin, le soleil était né. Mais on le cherchait en vain au ciel étonnamment lisse. Et pas un souffle d'air, pas un souffle.

Soudain, un de nos chameaux piaula... sur la roche plate une légère poussière s'était élevée. Dans l'atmosphère immobile, quelques grains de sable se mirent à tourner en rond avec une vitesse qui s'accrut jusqu'à devenir vertigineuse... Poussant d'aigres cris, un vol d'oies sauvages passa. Très basses, elles venaient de l'ouest...

Brusquement, le vent s'éleva, un vent formidable, et presque en même temps le jour sembla s'éclipser du ravin. Au-dessus de nos têtes, le ciel était devenu en un clin d'œil plus ténébreux que les parois noires du couloir où nous dévalions... Un éclair aveuglant déchira l'obscurité. Un coup de tonnerre répercuté à l'infini par la muraille rocheuse retentit et, aussitôt, d'énormes gouttes tièdes se mirent à tomber. Nos burnous... furent collés à nos corps ruisselants... Et c'était, sans interruption, le fracas du tonnerre et celui, plus fort encore, de pans entiers de murailles rocheuses, sapées par l'inondation, qui s'écroulaient d'un seul coup et se dissolvaient au milieu du flot déferlant. Tout le temps que dura ce déluge, une heure, deux peut-être, Morhange et moi demeurâmes sans un mot, penchés sur la vallée, en contrebas, où les eaux se précipitaient...

Enfin la pluie s'affaiblit, un rayon de soleil brilla. Alors seulement nous nous regardâmes. »

Pierre Benoît

Il s'agit là de la description d'une scène : les éléments descriptifs ne sont pas immobiles mais animés ; ils sont variables selon le moment.

- ***Analyse***

1. L'orage se déroule à travers une succession d'étapes. Distinguez ces étapes et proposez un titre pour chacune.
2. A quel moment passe-t-on dans ce texte de l'imparfait au passé simple ? Pourquoi ?

3. Quels sont les différents signes par lesquels l'orage se manifeste, dans son approche d'abord (réaction des animaux, mouvement de l'air...), dans son éclatement et son intensification ensuite (vent, couleur du ciel, éclair...) ? Notez-les, dans l'ordre de leur apparition.

4. Relevez tous les mots qui marquent la soudaineté des manifestations de l'orage.

• *Exercice*

Décrivez à votre tour le déroulement d'un orage (en ville ou à la campagne) auquel vous avez assisté : vous noterez d'abord vos observations dans une grille comme celle qui suit.

Eléments à décrire	**Aspects caractéristiques**	**Mouvements et changements**	**Bruits**
le vent	• vent brutal, chargé de poussière... • un tourbillon, une rafale...	• courbe les arbres • brasse les feuillages • arrache un journal à un passant... • redouble, s'enfle...	• siffle, hurle, mugit sous les porches... • les stores claquent, les volets grincent et battent contre le mur...
la pluie	• brusque averse, pluie soudaine, pressée, violente... • d'abord larges gouttes...	• cingle les visages, disperse les promeneurs, fouette les façades, bat la charge contre les murs, piétine la chaussée...	• grêle, pétille, claque, gronde... • le grondement s'amplifie, s'élargit...

Procédez de la même façon pour les autres « éléments à décrire » : le ciel, le tonnerre et les éclairs, les êtres et les choses...

III. — Une méthode : comment préparer et rédiger une description

A. Organisez méthodiquement l'observation de l'objet à décrire

1. *Choisissez un point de repère pour votre observation.*

— **Un observateur immobile** par exemple.

Alors en quel lieu le placez-vous par rapport à l'ensemble à décrire ? Attention ! Que ce soit d'un point où la plus large partie de cet ensemble se révèle à sa vue.

Ex. : pour la description d'une salle de classe — seuil de la porte, estrade ou votre place.

— **Un observateur en mouvement.**

Ex. : un château abandonné. Nous découvrons alors l'ensemble à décrire à mesure de son déplacement.

— **Un objet de l'ensemble.**

Ex. : la description d'un village peut être ordonnée autour du clocher ou de la mairie.

• *Application :*

Vous avez à décrire, au choix, votre quartier, votre village ou votre établissement. Tracez le plan que vous suivriez pour cette description :

1. En prenant pour repère un observateur immobile (où serait-il ?).
2. En prenant pour repère un observateur en mouvement (quel itinéraire suivrait-il ? Qu'observerait-il en chaque point de cet itinéraire ?).
3. En prenant pour repère un élément fixe (lequel ? pourquoi celui-là ?).

2. *Divisez votre champ d'observation en secteurs.*

— **Description simple.**

Ex. : une pièce. Que découvre l'observateur devant lui, à sa droite, à sa gauche... ?

Evoquez ainsi une pièce de votre appartement.

— **Description panoramique.**

Ex. : paysage se révélant du haut d'une montagne : que découvre l'observateur devant lui au nord, puis à l'est, à l'ouest, enfin au sud en se retournant ? Et dans chacune de ces directions qu'aperçoit-il au premier plan... plus loin... tout au fond ?

Evoquez ainsi, selon le cas : le paysage que vous apercevez de votre fenêtre, votre commune telle qu'elle se découvre du clocher de l'église..., etc.

— **Description d'un phénomène de la nature (pluie, orage, lever du soleil...) ou d'une scène animée.**

Suivez l'évolution étape par étape : d'abord... ensuite... enfin.

Ex. : 1. L'orage se prépare. 2. L'orage éclate. 3. L'orage redouble. 4. L'orage diminue et cesse.

Quel plan suivriez-vous pour évoquer : une fête en plein air interrompue par la pluie — un coucher de soleil à la campagne — une cérémonie ou une réunion sportive — un marché en plein air ?

B. Notez vos observations au brouillon (sans phrases)

1. L'impression dominante qui se dégage de l'ensemble à décrire.

— Observez-le attentivement. Qu'est-ce qui vous frappe au premier abord ? Dites-le en quelques mots : animation et bruit d'une rue ; paix et solitude d'un paysage...

— Résumez cette impression dans un titre.

Ex. : une ville pittoresque.

2. L'aspect d'ensemble.

— Forme générale — disposition dans l'espace ou couleur, lumière...

— Résumez-le en quelques mots précis :

Ex. : votre chambre ; une pièce rectangulaire, plus profonde que large, baignée de lumière par deux fenêtres donnant au midi.

3. Les détails qui confirment l'impression dominante.

Vous pouvez les noter dans une « grille » qui sera, selon le cas, celle de la page 129 ou celle de la page 132.

C. Rédigez la description en utilisant les éléments descriptifs que vous avez réunis.

- Une ou deux phrases de présentation d'ensemble : où sommes-nous ? Quelle est l'impression dominante, le caractère essentiel ?
- Un développement dont le plan est déterminé par les différents secteurs que vous avez choisis (par exemple : au premier plan, au second plan, à l'horizon). Chaque secteur peut faire l'objet d'un paragraphe distinct.
- Une brève conclusion qui peut exprimer vos émotions et vos réflexions.

■ Exercices

(1) Pour chaque description, recherchez les sensations à évoquer afin de bien peindre l'objet.

Ex. : un marché aux légumes : forme et disposition des étalages — couleurs et odeurs (des fruits, des légumes) — cris et animation (des vendeurs, des acheteurs).

Sur ce modèle, citez les sensations que vous évoqueriez pour décrire : un coucher de soleil, un paysage nocturne, une boutique, une rivière, une cour à l'heure de la récréation, etc.

(2) L'élaboration d'une phrase descriptive en trois étapes :

1. L'énumération sèche (je nomme) : dans le jardin, j'aperçois des poiriers, des carrés de laitues, une tonnelle.

2. L'énumération organisée (je précise l'emplacement des objets) : dans le jardin, j'aperçois à droite des poiriers, au centre des carrés de laitues, à gauche une tonnelle.

3. L'énumération descriptive (je présente et je caractérise chaque objet) : à droite du jardin s'élèvent quelques poiriers alourdis de fruits, au centre s'alignent des carrés de laitues d'un vert appétissant, à gauche s'arrondit une tonnelle qu'enveloppe une vague de lierre.

Application : en suivant ces trois étapes « faites voir » ce que vous apercevez : sur le bureau du professeur, sur les murs de la classe, dans votre serviette, d'un coin de la cour de récréation, en ouvrant le tiroir d'un meuble...

(3) Une petite description traduisant une vision personnelle des choses :

« L'affût* pour moi, c'est l'heure qui tombe, la lumière diminuée, réfugiée dans l'eau, les étangs qui luisent, polissant jusqu'aux tons de l'argent fin la teinte grise du ciel assombri » (A. Daudet).

Rédigez sur ce modèle quelques paragraphes descriptifs commençant par : Un feu de bois c'est pour moi... — L'orage c'est pour moi... — L'été c'est pour moi... — Le dimanche c'est pour moi...

* L'affût : c'est un chasseur à l'affût du gibier qui parle.

Itinéraire 6 :
ÉVOQUER DES PERSONNAGES VIVANTS : LE PORTRAIT*

La qualité d'un récit ne tient pas seulement au déroulement de l'action mais, pour une bonne part, à la vie et à la vérité des personnages qui y participent.

I. — Approche par l'image : des héros de bandes dessinées

Voici quelques personnages bien connus de Bandes dessinées. Chacun d'eux à sa personnalité physique et son caractère. Nous allons les emprunter à leurs créateurs pour les engager dans de nouvelles aventures de notre invention. Mais il faut qu'avec des mots nous puissions les rendre aussi présents qu'avec des images !

De gauche à droite : Les Dupont, Tintin, le professeur Tournesol, le capitaine Haddock, Milou le chien. (Éditions CASTERMAN)

* Corrigé pages 191 et 192.

1. Dressons leur fiche de signalement, précise et pittoresque

Choisissez deux ou trois personnages de bande dessinée que vous pourrez associer dans une même aventure et préparez une fiche pour chacun.

— *Son aspect physique.*

Tout ce que l'image nous en révèle, il s'agit de le traduire avec des mots qui peignent. Sans rédiger, notez les traits descriptifs selon le plan suivant :
1. allure générale et démarche. — 2. visage (expression-traits caractéristiques). — 3. vêtements. — 4. autres éléments caractéristiques.

— *Son caractère.*

Dégagez les principaux traits de caractère tels qu'ils vous sont apparus à travers vos lectures. Comment ces traits de caractère se manifestent-ils habituellement ? dans son aspect physique ; dans ses paroles ; dans ses gestes, ses actes, ses habitudes...

2. Imaginons une aventure inédite dont ces personnages seront les héros.

a) Inventez les différentes péripéties de cette aventure en les regroupant en quelques grands épisodes (présentez ceci sous forme d'un petit scénario non rédigé) ;

b) rédigez ensuite le récit de cette aventure en révélant peu à peu les personnages mis en scène dans leur aspect physique et leur caractère (inspirez-vous des fiches de signalement que vous avez remplies).

3. Des portraits éclairs.

Dressez, en une dizaine de lignes pour chacun, le portrait de quelques-uns de vos héros favoris, qu'ils appartiennent à la télé, au roman, au film ou à la bande dessinée. Il s'agit de rappeler brièvement les circonstances dans lesquelles s'exercent leurs aventures habituelles et de les caractériser vigoureusement au physique et au moral.

Un exemple : **Astérix** (origine : série de bandes dessinées de Goscinny et Uderzo).

« Dans la Gaule occupée par les Romains, un village continue de résister à l'envahisseur. Abraracourcix en est le chef, mais le plus rusé et le plus intrépide des guerriers est certainement Astérix. Ce petit Gaulois à l'esprit malin est toujours flanqué d'Obélix, son inséparable ami. A eux deux, ils triomphent avec humour de tous les périls et multiplient les aventures.

D'apparence malingre, haut comme trois pommes, presque difforme, Astérix a l'œil vif, le réflexe rapide, et la potion magique du druide Panoramix lui donne une force surhumaine. Bref, un paquet de dynamite sous un casque de guerrier gaulois ! »

II. — L'approche par les textes : des exemples de portraits

Deux cas peuvent se présenter :

1. Il peut s'agir d'évoquer simplement au passage, en quelques traits brefs, un ou plusieurs personnages : c'est le portrait-éclair, comme dans les exemples A et B.
2. Il peut être aussi nécessaire de développer ce portrait en dégageant peu à peu les traits physiques et moraux du personnage : c'est le portrait détaillé comme dans les exemples C et D.

A. Quelques portraits-éclairs individuels

En une phrase, deux au plus, le personnage doit être saisi dans ses traits essentiels.

Dans chacun des brefs portraits suivants précisez quels sont les traits caractéristiques du personnage et dites s'il vous paraît vigoureusement évoqué.

- Le forgeron. *« Le forgeron était grand, le plus grand du pays, les épaules noueuses et les bras noirs des flammes de la forge et de la poussière de fer des marteaux. »* Zola
- Mirabeau. *« Affreux, la figure ravagée, le front barré de rides, les épaules fortes et rondes, la démarche lourde, mais des yeux de flamme, Mirabeau tirait parti de ce repoussant physique. »* Madelin

• *Exercices :*

Choisissez quelques personnages caractéristiques de votre entourage et campez chacun d'eux, dans ses traits dominants, en une ou deux phrases.

B. Des portraits-éclairs multiples

« LE DEPART EN DILIGENCE »

« Le cocher Césaire Horlaville, un petit homme à gros ventre, souple cependant, par suite de l'habitude constante de grimper sur ses roues et d'escalader l'impériale, la face rougie par le grand air des champs, les pluies, les bourrasques et les petits verres, les yeux devenus clignotants sous les coups de vent et de grêle, apparut sur la porte de l'hôtel en s'essuyant la bouche d'un revers de main... Il ouvrit la porte de derrière et, tirant une liste de sa poche, il lut en appelant :

— Monsieur le curé de Gorgeville.

Le prêtre s'avança, un grand homme puissant, large, gros, violacé et l'air aimable. Il retroussa sa soutane pour lever le pied, comme les femmes retroussent leurs jupes, et grimpa dans la guimbarde...

— Maît' Poiret, deux places.

Poiret s'en vint, haut et tortu, courbé par la charrue, maigri par l'abstinence, la peau séchée par l'oubli des lavages. Sa femme le suivait, petite et maigre, pareille à une bique fatiguée, portant à deux mains un immense parapluie vert.

— Maît' Rabot, deux places.

Rabot hésita étant de nature perplexe. Il demanda :

— C'est ben mé que t'appelles ?

Le cocher, qu'on avait surnommé « dégourdi » allait répondre une facétie, quand Rabot piqua une tête vers la portière, lancé en avant par une poussée de sa femme, une gaillarde haute et carrée dont le ventre était vaste et rond comme une futaille, les mains larges comme des battoirs. Et Rabot fila dans la voiture à la façon d'un rat qui rentre dans son trou.

— Maît' Caniveau.

Un gros paysan, plus lourd qu'un bœuf, fit plier les ressorts et s'engouffra à son tour dans l'intérieur du coffre jaune. » Maupassant

• Analyse :

1. Combien de personnages différents découvrons-nous au cours de cette scène ?
   A quel milieu social et géographique appartiennent-ils ?
2. Quels sont les éléments qui rendent ces portraits vivants et amusants ? Relevez en particulier toutes les comparaisons et dites ce que vous en pensez (sont-elles justes ? sont-elles pittoresques ?...)

3. Pour chacun des personnages : relevez les traits qui le peignent au physique (distinguez ce qui trace son allure générale et ce qui précise un détail caractéristique) et ceux qui le peignent au moral (son caractère, ses habitudes de vie...).

• *Exercices*

A la façon de Maupassant, présentez-nous, en action, une série de personnages vivants et bien campés (au physique et au moral) :

— Au départ d'un car ou d'un train : un groupe de villageois qui se connaissent, ou une équipe sportive en déplacement, ou des camarades de classe en sortie collective...
— Lors d'un accident de la circulation, les témoins interrogés par la police.
— Au bureau de poste, les clients qui passent tour à tour au guichet, etc.

C. Un portrait détaillé :

« UNE VIEILLE SERVANTE ».

(Elle est convoquée pour recevoir des mains des « bourgeois » de la ville une médaille du travail.)

Alors on vit s'avancer sur l'estrade une petite vieille femme de maintien craintif, et qui paraissait se ratatiner dans ses pauvres vêtements. Elle avait aux pieds de grosses galoches de bois, et, le long des hanches, un grand tablier bleu. Son visage maigre, entouré d'un béguin sans bordure, était plus plissé de rides qu'une pomme de reinette flétrie, et des manches de sa camisole rouge dépassaient de longues mains à articulations noueuses. La poussière des granges, la potasse des lessives et le suint des laines les avaient si bien encroûtées, éraillées, durcies, qu'elles semblaient sales quoi qu'elles fussent rincées d'eau claire ; et, à force d'avoir servi, elles restaient entrouvertes, comme pour présenter d'elles-mêmes l'humble témoignage de tant de souffrances subies. Quelque chose d'une rigidité monacale relevait l'expression de sa figure. Rien de triste ou d'attendri n'amollissait ce regard pâle. Dans la fréquentation des animaux, elle avait pris leur mutisme et leur placidité. C'était la première fois qu'elle se voyait au milieu d'une compagnie si nombreuse ; et, intérieurement effarouchée par les drapeaux, par les tambours, par les messieurs en habit noir et par la croix d'honneur du Conseiller, elle demeurait tout immobile, ne sachant s'il fallait s'avancer ou s'enfuir, ni pourquoi la foule la poussait et pourquoi les examinateurs lui souriaient. Ainsi se tenait, devant ces bourgeois épanouis, ce demi-siècle de servitude.

Flaubert

• *Analyse :*

Flaubert a tracé de la vieille servante un portrait devenu classique.

1. La présentation du personnage dans son allure générale (c'est l'introduction). Par quels mots est esquissée la silhouette ?

2. Les détails caractéristiques. Citez ceux qui se rapportent à :
   — ses habits,
   — son visage,
   — ses mains : c'est le trait le plus saillant car elles résument dans leur aspect toute une vie de labeur et de souffrance,
   — son expression.

3. Son attitude. N'exprime-t-elle pas ses sentiments ? Lesquels ?

4. Le trait final qui résume l'impression générale du portrait (c'est la conclusion). Comment ? Par quelle opposition ?

5. Ce portrait est à la fois physique et moral : montrez-le.

• *Exercice:* Dressez, à votre tour, le portrait d'un personnage caractéristique que vous connaissez bien.

D. Un autre portrait détaillé

« TARTARIN DE TARASCON »

« Imaginez-vous une grande salle tapissée de fusils et de sabres depuis en haut jusqu'en bas ; toutes les armes de tous les pays du monde... Par là-dessus, un grand soleil féroce qui faisait luire l'acier des glaives et les crosses comme pour vous donner encore plus la chair de poules... Enfin, devant un guéridon, un homme était assis, de quarante à quarante-cinq ans, petit, gros, trapu, rougeaud, en bras de chemise, avec des caleçons de flanelle, une forte barbe courte et des yeux flamboyants ; d'une main il tenait un livre, de l'autre il brandissait une énorme pipe à couvercle de fer et, tout en lisant je ne sais quel formidable récit de chasseurs de chevelures, il faisait, en avançant sa lèvre inférieure, une moue terrible, qui donnait à sa figure de petit rentier tarasconnais ce même caractère de férocité bonasse qui régnait dans toute la maison.

Cet homme, c'était Tartarin, Tartarin de Tarascon, l'intrépide, le grand, l'incomparable Tartarin de Tarascon. » A. Daudet

• *Analyse*

1. Les quatre premières lignes évoquent l'appartement du personnage. Mais n'est-ce pas déjà, indirectement, un portrait ? Pourquoi ?
2. Quelle est l'impression dominante de ce portrait ? D'où provient-elle ?
3. Classez les détails descriptifs selon qu'ils se rapportent : à son état-civil, à son allure générale, à ses vêtements, aux traits et à l'expression du visage, à son caractère...
4. En quoi ce portrait est-il caricatural et ironique ?

• *Exercice*

Dressez à votre tour le portrait-caricature d'un personnage caractéristique : un fervent de sport ou de culturisme, un passionné de musique (ou de chansons) moderne, un passionné de moto...

III. — Une méthode : comment préparer et rédiger un portrait ?

1re étape :

Si vous le pouvez, choisissez un personnage caractéristique.

Adoptez de préférence un être (homme, animal...) qui puisse éveiller l'intérêt du lecteur par son apparence, sa façon de vivre ou ses traits de caractère.

2e étape :

Dressez au brouillon la fiche de signalement de votre personnage (il n'est pas nécessaire de rédiger).

A) Son état-civil

— Donnez-lui un nom, un âge approximatif, un métier, une famille.
— Dans quel milieu le faites-vous vivre ? un village, une ville ; parmi des ouvriers, des paysans, des employés...

B) Son aspect physique

1. **Sa silhouette générale** (taille, corpulence, attitude, allure...).

Exemple 1 : un vieillard : de haute taille, sec, voûté ; un air de résignation et de lassitude.

Exemple 2 : la vieille servante de Flaubert évoquée dans la première phrase du texte.

2. **Ses traits caractéristiques.**

— Qu'est-ce qui frappe en lui d'emblée ? Quel est le trait dominant que vous allez mettre en valeur ?

Ex. : Chez la vieille servante de Flaubert, ce sont les mains auxquelles 6 lignes seront consacrées (relisez-les). *Pourquoi les mains ?*

— Quels autres traits vous paraissent également significatifs ?

- *Le visage :* est-ce sa forme ? son teint ? son expression ? l'éclat du regard ?...
- *Le corps :* qu'a-t-il de particulier dans sa taille ? sa corpulence ? ses proportions ? son attitude ? ou dans tel détail caractéristique ?
- *Les vêtements :* que nous révèlent-ils éventuellement du personnage : de son métier ? de ses goûts ? de son milieu social ? etc.
- *Les attitudes et les gestes :* a-t-il des attitudes ou des gestes particuliers ? des tics ?
- *La voix et les paroles :* qu'est-ce qui caractérise sa voix (hauteur, timbre, articulation, débit) ? ses paroles ?

• *Exercice*

(1) Choisissez trois ou quatre personnages de votre entourage et pour chacun d'eux, comme dans notre exemple : — dégagez en quelques mots sa silhouette générale ; — notez ensuite ses traits caractéristiques selon l'ordre proposé (visage, corps, vêtements, voix, attitudes et gestes...).

C) Son caractère et ses habitudes

1. Quels sont ses traits de caractère essentiels ?
   Ex. : résignation, bonté tranquille.
2. **Comment se révèlent-ils ?**
   — **bonté** : dans son sourire, sa poignée de main chaleureuse, les petits services qu'il aime à rendre (garder les enfants, tenir compagnie aux malades)... ;
   — **résignation** : dans l'expression de son visage, dans son attitude, dans les paroles qu'il aime à répéter (« A mon âge, va, on n'attend plus rien »)...

• *Exercice*

(2) En utilisant le tableau suivant, notez les détails descriptifs et les indications par lesquels vous traduiriez ces traits de caractère ou ces sentiments et émotions : l'orgueil, l'avarice, la timidité ; la peur, une grande joie, la surprise.

Sentiments ou traits de caractère	Attitude et silhouette	Expression et aspect du visage	Paroles	Actes, gestes et mouvements
Ex: orgueil	*tête haute poitrine bombée*	*regard méprisant*	*etc ....*	*etc ...*

3e étape :

Composez « le film » dont le personnage sera le héros.

— En effet, il ne s'agit pas d'énumérer simplement les traits qui composent son portrait.
— Il faut l'engager dans une action, le faire vivre dans des circonstances précises.
Réfléchissez : Où ? Quand ? Que fait-il ? Que dit-il ? Sur quelle image commencera le film-portrait ? Sur quelle image s'achèvera-t-il ? Le portrait ici s'anime et devient récit.

● *Exercice*

(3) Cherchez les situations, les actes, les événements qui permettraient de bien mettre en valeur les traits des personnages suivants : un distrait ; un casse-cou ; un vaniteux ; un collectionneur ; un commerçant avisé ; un avare...

4e étape :

Rédigez soigneusement ce portrait-récit.

1. Présentez d'abord votre personnage :

Soit en le peignant dans son cadre habituel de vie (comme Tartarin dans son appartement, p. 139), soit en l'engageant immédiatement dans une action précise (comme les paysans de Maupassant qui montent en diligence, p. 137).

2. Déroulez, étape par étape, votre portrait-récit avec un double souci :
— Construire un récit clair et vivant qui intéresse le lecteur.
— Dégager à l'occasion de ce récit le portrait physique et moral du personnage.

● *Exercice*

(4) Choisissez un personnage caractéristique dont vous ferez le portrait.

IV. — Le portrait psychologique

Dans certains cas, le portrait est moins centré sur un personnage individuel que sur un personnage-type incarnant un trait de caractère dominant qu'il s'agit de faire apparaître.

Ex. : l'avare, le distrait, l'hypocrite, le sans-gêne...

● *Exercice*

(5) Un bon portrait psychologique doit être mis en scène. Le personnage se révèle dans ses actes et dans ses paroles.
Ex. : Le distrait.
Ménalque descend son escalier, ouvre sa porte pour sortir ; il la referme ; il s'aperçoit qu'il est en bonnet de nuit, et venant à mieux s'examiner, il se trouve rasé à moitié... Il demande ses gants qu'il a à la main...
S'il va par la ville, après avoir fait quelque chemin, il se croit égaré, il s'émeut, et il demande où il est à des passants, qui lui disent précisément le nom de sa rue. Il entre ensuite dans sa maison, d'où il sort précipitamment, croyant qu'il s'est trompé.

(La Bruyère)

Sur ce modèle, peignez : un homme coléreux, un maniaque de la photographie, un sans-gêne.
Attention ! Il ne suffit pas de dire que Blaise est sans gêne. Il faut le montrer en accumulant des petits faits bien choisis.
Ex. : Il prend sur un banc la meilleure place et s'étale, mange un fruit et jette l'épluchure sur le trottoir, se promène avec un transistor qui hurle, bouscule les gens au passage, etc.

• *Exercice*

(6) Imaginez Harpagon, riche bourgeois de notre époque, connu pour son extrême avarice, dans le déroulement de sa vie courante : chez lui, à son bureau, au restaurant,... etc.

1. Quels détails allez-vous choisir pour mettre en relief son avarice ? Notez-en une dizaine, aussi révélateurs que possible.

2. Rédigez ensuite son portrait sous une forme vivante.

8e partie

ENQUÊTES, TRAVAUX ET RECHERCHES

Enquêtes, travaux et recherches

Nous suggérons ici quelques directions de travail qui conduisent, à travers une découverte active de la réalité à toutes les formes de l'expression orale et écrite (exposés oraux, comptes rendus écrits, montages audio-visuels, interviews, débats...).

L'enquête étant l'un des moyens d'approche les plus directs du milieu humain, social et économique, nous étudierons d'abord comment la conduire avant de proposer un certain nombre de thèmes de recherche et d'expression.

LA TECHNIQUE DE L'ENQUÊTE*

I. — Les sujets d'enquête

Les sujets d'enquête sont illimités. Il s'agit toujours de recueillir des informations sur le vif en observant activement et en interrogeant.

L'enquête peut conduire à des *visites* (d'entreprise, de musée, d'exposition, de supermarché, de quartier et de ville, de service public...), parfois à des *voyages*, à des *recherches de documents* (dans les journaux, les bibliothèques...), souvent à des *interviews* (de camarades, de passants ou de catégories de personnes bien déterminées...).

A titre d'illustration, citons quelques enquêtes précises effectivement réalisées par des élèves :

— *Enquête sur un supermarché (un groupe interrogeait le directeur avec qui rendez-vous avait été pris, un autre groupe le personnel, un autre la clientèle, un autre enfin les petits commerçants qui souffraient de la concurrence de ce magasin géant).*
— *Enquête sur un aéroport (activité de l'aéroport — fonctionnement des services — problèmes posés...).*
— *Enquête sur les problèmes de la circulation dans la commune (auprès des usagers, auprès des responsables...).*
— *Enquête sur les mal-logés (auprès des habitants, auprès des services communaux...).*
— *Enquête sur les travailleurs immigrés dans la commune.*
— *Enquête sur les loisirs des jeunes.*
— *Enquête sur un club sportif.*
— *Enquête sur les musées de la commune.*
— *Enquête dans une mine...*

* Voir page 192.

On le voit, les sujets d'enquête dépendent des préoccupations qui vous animent et des possibilités du milieu local.

EXERCICE 1

Par petits groupes déterminez les enquêtes qu'il serait possible d'organiser dans votre quartier, votre ville ou votre région. Évaluez l'intérêt et les difficultés de chacune d'elles.

II. — Comment préparer une enquête

Il est certain que le soin apporté à la préparation de l'enquête va, en large partie, déterminer sa réussite.

1. D'abord, consacrez un certain temps à bien préciser le but que vous fixez à votre enquête

Quelles sortes de renseignements voulez-vous recueillir ?

Exemple : *Vous menez une enquête sur un supermarché. Vous pouvez vous proposer deux buts :*

— *découvrir quels sont tous les problèmes posés par le fonctionnement d'un magasin de cette dimension ;*

— *faire apparaître finalement quels sont les avantages et les inconvénients que présente un supermarché.*

EXERCICE 2. Choisissez un sujet d'enquête réalisable dans le milieu local et précisez exactement les buts que vous vous fixerez.

2. Ensuite dressez un petit plan de travail

Où irez-vous ? Quand ? Auprès de qui ? Avez-vous pour cela des autorisations à obtenir, des rendez-vous à prendre ? Connaissez-vous les heures d'ouverture ?...

Comment procèderez-vous ? Vous diviserez-vous en plusieurs groupes ? Quelle sera la tâche de chaque groupe ? A l'intérieur du groupe quelle sera la tâche de chaque membre... ?

EXERCICE 3. Reprenez le sujet d'enquête à réaliser dans le milieu local (exercice 2) et dressez votre plan de travail.

3. Enfin établissez un questionnaire précis

• Si votre enquête ne repose que sur *l'observation* (visite d'un chantier, d'un musée...) ces questions, préparées avec soin, auront pour but de diriger votre attention sur les points essentiels.

Exemple : *Visite d'une usine. Quelle est l'importance de cette usine (nombre de salariés — quantité produite...) ? Pourquoi s'est-elle établie à cet endroit ? Quels sont les différents services et les différents ateliers ?...*

Après avoir dégagé ainsi toutes les questions intéressantes, classez-les par catégories (ex. : situation — fonctionnement — production — problèmes...).

EXERCICE 4. Préparez un questionnaire d'observation utilisable à votre choix pour la visite : d'un monument public, d'un musée, d'un quartier, d'une entreprise locale.

• Si votre enquête vous conduit à *interroger des personnes*, il est encore plus essentiel de préparer vos questions par écrit avec le plus grand soin et de réfléchir aux catégories que vous souhaitez interroger (leurs réponses seront différentes selon leur âge, leur sexe, leur domicile, leur situation de famille, leur métier...).

Formulez bien vos questions : qu'elles soient très claires, assez courtes, toujours courtoises et sans indiscrétion. Vont-elles provoquer les réponses dont vous avez besoin ? Est-il facile d'y répondre sans une longue réflexion préalable ?

Voici quelques exemples à propos d'une enquête sur un supermarché :

— *à l'intention du directeur.* Pourquoi a-t-on choisi cet emplacement pour installer le supermarché ?... Quelle est la surface occupée par votre magasin ? Combien les parkings peuvent-ils recevoir de voitures ?

— *à l'intention du personnel* (une caissière par exemple ou un chef de rayon). Quel est le salaire moyen d'un vendeur ? Quelle est la durée hebdomadaire du travail ? Quels sont les attraits du métier ? Quelles sont ses difficultés ?...

EXERCICE 5. En petits groupes, préparez un questionnaire d'interview (ou de sondage d'opinion) sur un sujet à votre choix en précisant à quelles catégories de personnes sont destinées ces questions.

Exemples de sujets : ce que les jeunes attendent de leur avenir. Les lectures des jeunes. Ce que les jeunes pensent des émissions de télévision...

III. — Comment conduire une enquête

— Si votre enquête a bien été préparée, vous savez comment la conduire : sauf événement imprévu, restez fidèle à votre plan de travail.

Faites preuve d'une curiosité active, d'esprit d'observation. Mais soyez toujours discret et d'une grande courtoisie. N'oubliez pas que vous demandez service aux gens en les interrogeant et que vous les dérangez.

— Le mieux est, le plus souvent, de travailler par petits groupes de deux ou trois.

Prenez d'abondantes notes (de préférence sur un carnet), des croquis, éventuellement des photographies. Recueillez des documents de toute nature utiles à votre enquête. Il est souvent intéressant d'enregistrer des témoignages et des échos sonores au magnétophone.

IV. — Comment dégager les résultats d'une enquête

1. Classez vos documents par catégories

Par groupe de travail, réunissez toutes les notes et tous les documents que vous avez recueillis lors de votre enquête et classez-les par catégories.

Exemple : *Enquête sur un aéroport :*

— *documents relatifs à sa situation géographique et à sa disposition d'ensemble ;*
— *documents relatifs à l'organisation des services ;*
— *documents relatifs à l'activité de l'aéroport.*

EXERCICE. Sous quelles catégories générales pourriez-vous classer les documents recueillis lors d'une enquête : sur un supermarché, sur les conditions de vie des travailleurs immigrés, sur les problèmes du logement (ou de la circulation) dans votre commune...

2. Dans chaque catégorie dégagez les informations essentielles

Sans rédiger vous pouvez les noter sous forme d'un plan détaillé ou d'un tableau à colonnes. Cherchez si certaines ne pourraient pas se traduire sous forme de courbes ou de graphiques.

Comparez, discutez, interprétez, complétez... Finalement à quelles conclusions d'ensemble votre enquête a-t-elle abouti ?

EXERCICE 6. Vous avez organisé un petit sondage pour savoir ce que les gens de votre quartier penseraient de l'interdiction de la circulation automobile dans le centre de la ville. Voici les résultats bruts :

Trois commerçants (37, 41 et 50 ans) : contre cette interdiction ; deux autres commerçants (23, 30 ans) : pour une interdiction certains jours de la semaine ; quatre ménagères (24, 27, 34, 36 ans) : pour une interdiction totale ; cinq autres ménagères (26, 38, 52, 48, 60 ans) : pour une interdiction certains jours ; deux chauffeurs de taxis (42, 45 ans) : contre cette interdiction, etc.

Cherchez comment vous pourriez présenter ces résultats sous forme d'un tableau, clair, et qui mette en valeur les points essentiels.

3. Présentez ces résultats à vos camarades

— vous pouvez les exposer oralement et un débat peut s'engager à ce propos ;

— vous pouvez les présenter sous forme d'un panneau d'affichage (avec illustrations, croquis, graphiques...) ;
— vous pouvez rédiger un compte rendu clair et bien ordonné qui pourra, lui aussi, être illustré.

EXERCICE

1. Comparez les avantages et les inconvénients de chacun des trois moyens précédents (exposé — panneau — compte rendu).
2. Ne peut-on les combiner ?

TRAVAUX ET RECHERCHES SUR LA PRESSE

I. — Enquêtes et interviews

Chaque enquête pourra aboutir à un compte rendu oral ou écrit ou pourra faire l'objet d'une présentation sur un panneau mural (des faits, des chiffres, des commentaires, des images).

1. Coup d'œil général sur la presse

En vous renseignant auprès des commerçants spécialisés dans la vente des journaux, essayez de dresser un bilan général de la presse en France en la classant par grandes catégories : les grands quotidiens d'information (de Paris, de province), les hebdomadaires (hebdomadaires politiques, hebdomadaires littéraires ou techniques, presse des jeunes, presse féminine, etc...). Notez les titres, le tirage de chaque journal et, si vous le pouvez, son orientation générale et le public auquel il s'adresse.

Documents et ouvrages à consulter : « Tout l'univers » n°s 70-71-72 — « La presse moderne » P. Denoyer (Que sais-je ? P.U.F.) — « Encyclopédie des jeunes » (tome I - Marabout-Junior) — « Le journal » (Guide Bordas pour le cycle pratique) — « Presse actualité » n° 69 — « Quid » (au mot « presse »).

2. Les lecteurs de journaux

Interviewez par petites équipes le plus grand nombre de personnes (notez leur âge et leur métier) : lisent-elles quotidiennement un journal ? Lisent-elles toujours le même ? En lisent-elles plusieurs ? Que cherchent-elles dans un journal ? Quels sont les articles qu'elles lisent en premier ? Préfèrent-elles les informations apportées par la radio et la télévision ou les informations fournies par le journal ?... etc.

Déroulement : Achevez d'abord le questionnaire à poser. Notez ensuite attentivement les réponses. Cherchez enfin, avec prudence, à en tirer quelques conclusions sur les lecteurs de journaux.

3. La presse des jeunes

Titres, importance des tirages, catégories d'âge des lecteurs, contenu de ces différents journaux (en particulier quels sont les thèmes et les centres d'intérêts que l'on propose aux adolescents de votre âge ?)... etc.

Complétez ce questionnaire et menez l'enquête.

4. La presse féminine

Élaborez le questionnaire d'enquête en vous inspirant du précédent.

5. Un quotidien de votre région

Visitez les services de fabrication; interrogez les responsables à partir d'un questionnaire précis; analysez le journal dans sa présentation et dans son contenu...

Travaux préalables :

1. préparez les questions que vous poserez en visitant le journal;
2. quels points proposez-vous d'examiner tour à tour pour étudier sa présentation et son contenu ? (voir chapitre suivant).

II. — Découverte d'un quotidien

Chaque équipe découvre un journal différent, prend des notes et le présente ensuite oralement à l'ensemble de la classe. Elle peut aussi dresser un panneau mural récapitulatif combinant des échantillons du journal et des commentaires.

I. Les dimensions, le nombre de pages

Savez-vous que le « New-York Times » du dimanche a 560 pages et pèse 2,500 kg ?

2. La première page

C'est une sorte de vitrine : titre du journal (quelle est sa signification ?) ; les différents articles (occupent-ils tous la même surface ? les titres sont-ils tous de la même dimension ?) ; disposition de l'ensemble de la page (est-elle bien équilibrée ? qu'est-ce qui attire d'abord le regard ?)...

3. Les autres pages

Étudier leur disposition.

— Ne pouvez-vous ranger l'ensemble du contenu du journal sous différentes rubriques (Ex. : politique internationale, affaires intérieures, sport...) ? Notez ces rubriques.

— Quelle est la surface occupée par chacune de ces rubriques ? Classez-les selon l'importance de la surface occupée ?

III. — Comparaison entre plusieurs journaux

1. Comparez la première page de 3 ou 4 journaux parus le même jour

Quelles sont pour chacun des journaux les quatre nouvelles les plus importantes? Est-ce les mêmes nouvelles? Pour chacune d'elles, comparez la dimension du titre, la surface occupée dans la page...

Pour un même événement, étudiez comment chacun des journaux a rédigé son titre. Chaque titre révèle-t-il les mêmes aspects de l'événement? Qu'est-ce qui est mis en valeur ou caché par chaque titre? Pourquoi, à votre avis?

Nota : vous présenterez vos constatations et vos conclusions sous forme d'un petit exposé oral ou écrit.

2. Comparer le contenu de 3 ou 4 journaux

Établissez une liste des principales rubriques communes aux différents journaux et cherchez l'importance donnée par chaque journal à cette rubrique (la surface occupée par chaque rubrique peut se mesurer avec un double-décimètre; on calculera ensuite le pourcentage approximatif que cela représente par rapport à l'ensemble de la surface du journal).

On pourra dresser, par équipe, un tableau du type suivant qui sera, ensuite, présenté oralement par un rapporteur à l'ensemble de la classe. A travers une discussion collective on cherchera quelles conclusions on peut en tirer : par exemple sur le public auquel s'adresse le journal.

	Surface occupée Journal 1	Surface occupée Journal 2	Surface occupée Journal 3
Politique internationale Politique française Économie et vie sociale Faits divers etc.			

3. Comparer la relation du même événement dans 3 journaux différents

Ceci pourra aboutir à un panneau mural où le collage-montage s'efforcera de faire apparaître les ressemblances ou les différences sous une forme visuellement frappante.

1. Choisissez un événement d'une certaine importance et qui vous intéresse.

2. Cherchez *comment* cet événement est présenté au regard dans chacun des journaux. A quelle page ? Avec un titre de quelle dimension ? Quelle surface occupe l'article ?
3. Étudiez attentivement *la relation* de l'événement.
   • La rédaction du titre : chacun des titres présente-t-il l'événement sous le même aspect ? Comparez.
   • La rédaction de l'article : quels sont les points communs ? Quelles sont les différences ? Examinez successivement les faits eux-mêmes puis les commentaires.
4. Finalement quelles *conclusions* pouvez-vous tirer de cette comparaison ?

4. Constituer des panneaux muraux sur la presse

1. **Image de l'actualité hebdomadaire** dans trois journaux (par exemple deux journaux parisiens et un journal régional) : pendant une semaine vous découpez les titres essentiels (première page) dans trois journaux. Vous montez ensuite un panneau-collage qui permette d'établir une comparaison visuellement frappante et vous l'accompagnez d'un commentaire.

L'image que le lecteur peut avoir des événements de la semaine à travers ces trois journaux est-elle identique ? assez différente ? très différente ?

2. **Un événement suivi** pendant toute la semaine sur plusieurs journaux. Vous découpez des titres, des articles et vous recherchez un montage qui mette en valeur les différences et les points communs. Vous accompagnez d'un commentaire.

IV. — Titres et articles à rédiger

I. Du « fait » à sa relation journalistique

Voici des faits : tels qu'ils peuvent parvenir au secrétariat de rédaction de n'importe quel journal :

— Chute d'une cabine de téléphérique à St-Nizier (Isère) : 3 blessés graves. L'accident aurait été provoqué par la rupture d'un câble.

— Enquête de l'UNESCO : deux hommes sur trois dans le monde ne mangent pas à leur faim.

— Manifestation de protestation des habitants du Chambon (Haute-Loire) contre l'installation d'une usine de produits chimiques dans leur commune. Le pays entend sauvegarder sa vocation touristique.

Transformez chacune de ces informations sommaires en article de journal en réunissant ou en inventant les détails nécessaires. Mais vous tenterez de proposer pour chacune d'elles, trois versions différentes (choix des titres, des sous-titres, rédaction de l'article) :

— celle d'un journal qui veut *amplifier* le fait afin de lui donner un grand retentissement;
— celle d'un journal qui, n'osant pas passer le fait sous silence, veut tenter du moins de le *minimiser*;
— celle d'un journal qui tente simplement d'informer ses lecteurs avec *objectivité*.

Essayez d'expliquer les raisons possibles de l'attitude adoptée chaque fois (pourquoi amplifier? pourquoi minimiser?...)

2. D'un titre à l'autre

Choisissez dans un journal 2 ou 3 articles assez court. Lisez attentivement chacun d'eux et proposez pour le même article 3 ou 4 titres possibles. Comparez ces titres : leur valeur d'information, leur valeur de choc, la version des événements que suggère chacun d'eux.

Voici des titres relevés dans des journaux. Traduisez-les sous d'autres formes en conservant l'information qu'ils résument :

Conflit dans les houillères — Le prix de l'essence serait augmenté — Le trafic postal est paralysé dans la région parisienne — Pas de rationnement de gaz cet hiver — Pas de joueurs noirs dans l'équipe sud-africaine — Difficiles négociations entre pays du Moyen-Orient — Sauver le tiers-monde — Le président de la République au Canada l'an prochain? — Éclatante victoire de l'équipe du Brésil.

3. D'un article à sa version condensée

Choisissez dans un journal un article ne dépassant pas une quarantaine de lignes. Vous êtes le journaliste, auteur de l'article et votre rédacteur en chef vous demande, faute de place suffisante dans ses colonnes, de le réduire de moitié. Rédigez le nouvel article : vous aurez à justifier oralement les suppressions que vous avez choisi éventuellement d'apporter et les résumés de certains passages.

V. — Réflexions d'ensemble et débat

Pour chacun des textes suivants :

1. dégagez les idées essentielles exprimées par l'auteur en les notant au brouillon sans phrase;
2. discutez ces idées (les points sur lesquels vous êtes d'accord : donnez des arguments à l'appui — les points sur lesquels vous êtes en désaccord : appuyez également vos objections par des arguments);
3. si le sujet vous intéresse vous pouvez engager un débat.

Texte 1.

« Lire davantage les journaux » Pierre Desnoyer.

« Les lecteurs devraient donner un peu plus de temps à la lecture des journaux. Les sondages nous apprennent, en effet, que beaucoup d'entre eux ne lisent que les titres. Comment se familiariser avec les questions importantes de notre époque si on ne lit pas les articles ou les dépêches relatives à ces problèmes, si on ne lit pas ce qui touche à la vie politique, intérieure et extérieure? Il importe donc de savoir donner un minimum de temps à la lecture du quotidien dans la vie de tous les jours. »

Texte 2.

« La publicité et les journaux » Yves l'Her.

« Comment les journaux font-ils pour vivre? Leur équilibre financier est fondé... sur deux données principales :

1 — *Le produit de la vente au lecteur mais... il ne couvre pas, loin s'en faut, le prix de revient.*

2 — *Les ressources fournies par les annonceurs (publicitaires)... Voici quelles ont été, les parts respectives de la vente au lecteur et de la publicité dans les recettes globales de quelques journaux.*

	Part de la vente	Part de la publicité
France-Soir	47 %	53 %
Le Monde	45,5 %	53,1 %
Le Figaro	20 %	80 %

Texte 3.

« Un lien entre tous les hommes » Françoise Fourastié.

« L'extraordinaire développement de la presse, en écrits et en images, ne nous permet plus d'ignorer le monde dans lequel nous vivons; l'homme d'aujourd'hui peut connaître en quelques heures les nouvelles les plus lointaines et, par ce fait, il n'appartient plus seulement à son village, à sa province ou à sa nation, mais à l'humanité. Il ne peut ignorer l'Indien qui souffre de la faim... Aucun problème, aucun événement ne le laisse indifférent. »

RECHERCHES ET TRAVAUX SUR LA PUBLICITÉ

I. — Les buts de la publicité

Les recherches et les discussions sur ce point pourront s'achever par un compte rendu individuel écrit qui présentera, en les classant, les observations et les réflexions.

Thème 1

La publicité se propose essentiellement de faire acheter un article ou de faire utiliser un service (avion, tourisme...).

Recherches :

1. Citez plusieurs exemples illustrant chacun de ces deux cas;
2. pouvez-vous citer des exemples où la publicité se propose d'autres buts?

Thème 2

N'existe-t-il pas des formes particulières de publicité ? par exemple publicité commerciale visant, non pas une marque précise, mais tout un secteur de l'économie (Ex. : le cuir, le lait...) ; publicité non commerciale au service de l'intérêt public (sécurité routière, lutte contre l'alcoolisme...)

Recherches :

1. Relevez des exemples précis de ces deux formes de publicité;
2. que pensez-vous de la « publicité » au service de l'intérêt public ? (son intérêt, son efficacité).

Thème 3

Informer ou séduire? La publicité commerciale essaye-t-elle simplement d'informer (en présentant en toute vérité ce qui est) ou veut-elle séduire (en dissimulant les aspects négatifs, en exagérant les aspects positifs) ?

Recherches : Recueillez des exemples précis (à la télévision, dans les journaux et les revues...) où la publicité :

1. dissimule les aspects négatifs de ce qu'elle présente;
2. exagère les aspects positifs;
3. invente et ment manifestement (précisez alors de quelle façon).

II. — Les supports de la publicité

Thème 4 (réflexion)

Quels sont les différents moyens de diffusion que la publicité utilise (télé, presse...) ? Quel est celui qui vous paraît avoir l'action la plus efficace sur le public ? Pourquoi ?

Thème 5 (recherche)

Réunissez différents journaux et revues et évaluez, dans chacun d'eux, quelle est la place tenue par la publicité : chiffrez le nombre de pages publicitaires et calculez le pourcentage qu'elles représentent par rapport à l'ensemble.

Que pensez-vous de cette publicité dans la presse : utile ? gênante ? envahissante ? Revoyez également les chiffres de la page 154.

Thème 6 (réflexion et discussion)

Jugez-vous la publicité à la télévision amusante, supportable, gênante ? Seriez-vous partisans de la supprimer ? Quelles en seraient les conséquences ?

Au total, pensez-vous que la publicité (sur les murs des villes, le long des routes, à la télévision) envahisse et enlaidisse notre milieu de vie ?

Cette discussion pourra faire l'objet d'un compte rendu écrit.

III. — Les moyens mis en œuvre par la publicité

Thème 7

Comment la publicité s'y prend-elle pour « accrocher » l'attention ? Découpez dans les journaux et revues des exemples précis d'appels publicitaires ; cherchez le rôle joué par l'image (que montre-t-elle ? Comment ?), le rôle joué par le texte : comment le lecteur est-il pris à partie, concerné (« **Vous** n'avez pas le droit de **vous** laisser grossir : Contrex **vous** l'interdit »), soumis à des impératifs (« buvez... visitez... exigez »), amusé (humour, jeux de mots), harcelé par des slogans « percutants » ?

Thème 8

Constituez en petites équipes de 2 ou 3 une collection des meilleures images publicitaires que vous puissiez découper dans les journaux (imprévues, humoristiques ou non...). Cherchez d'où vient leur pouvoir de frapper l'attention. Préparez ainsi un petit commentaire pour chacune de ces images. Si vous disposez d'un épiscope, vous pouvez les présenter à la classe en les commentant. Vous pouvez aussi constituer un panneau mural.

Thème 9

Notez les meilleures formules publicitaires, les meilleurs slogans. Discutez entre vous de leur valeur; cherchez comment ils ont été construits afin de frapper l'esprit.

En particulier étudiez attentivement les slogans suivants dont vous complèterez la liste :

Au volant la vue c'est la vie (par quelle lettre commencent les trois mots essentiels? qu'en résulte-t-il?) — Boire ou conduire, il faut choisir — Dire non à l'alcool pour dire oui à la vie — Détruisez la bombe ou la bombe vous détruira...

Thème 10

A votre tour inventez des slogans et de brefs textes publicitaires sur les sujets suivants. Comparez-les, discutez leur valeur, améliorez-les.

1. *Inciter les touristes à respecter la nature.*
2. *Inciter les jeunes à pratiquer le sport et l'activité physique.*
3. *Inciter les Français à ne pas prendre tous leurs vacances au mois d'août.*
4. *Inciter les Français à moins se servir de leur voiture individuelle et davantage des transports en commun.*
5. *Inciter à moins fumer.*

Thème 11

Voici cinq slogans exprimant sous des formes différentes la même idée publicitaire. Lisez-les attentivement :

1 — *Si vous buvez Vittel, vous resterez jeune.* 2 — *Boire Vittel, c'est rester jeune.* 3 — *Avec Vittel, restez jeune.* 4 — *Pour rester jeune, buvez Vittel.* 5 — *Vittel, la jeunesse à la source!*

— Quel est l'argument identique mis en valeur par tous ces slogans?
— Renseignez-vous auprès des spécialistes et discutez de sa valeur.
— Étudiez chacune des formulations de cet argument (quelle construction utilise-t-elle?) et comparez-les (lesquelles vous semblent les plus frappantes?)

Thème 12

Exploitons l'exemple précédent :

Sans rédiger, trouvez *un argument publicitaire* qui puisse inciter à : acheter un magnétophone — passer ses vacances à la montagne — pratiquer la bicyclette — acquérir un téléviseur — boire davantage de lait...

Comparez les différents arguments proposés et, après discussion, gardez chaque fois celui qui vous paraît le meilleur.

En vous inspirant des cinq formulations proposées pour Vittel, rédigez différents slogans à partir de chacun des arguments que vous venez de sélectionner.

IV. — Une enquête sur un secteur publicitaire

1.

Chaque équipe choisit un thème de recherche : la publicité des différentes marques d'essence — la publicité des différentes marques d'huile — la publicité des différentes marques de poudre à laver — la publicité des différentes marques de téléviseur — l'appel au voyage et à l'évasion — les boissons...

2.

Informez-vous de tous les moyens (images, slogans, cadeaux, primes...) mis en œuvre par chacune des marques ou des sociétés.

Interrogez les commerçants et les usagers; cherchez des publicités dans les revues, dans les journaux.

Finalement comparez et appréciez.

3.

Chaque équipe rédigera un compte rendu écrit (illustré) et présentera oralement son enquête. Elle répondra alors aux questions qui lui seront posées et un débat pourra s'instituer.

V. — Réflexions d'ensemble et débats

Pour chacun des textes suivants :

1. Dégagez les idées essentielles exprimées par l'auteur.
2. Discutez ces idées à l'aide d'arguments précis et, si un point éveille l'intérêt de tous, organisez un débat.

Quels sont les moyens d'action psychologiques de la publicité?

Texte 1. *Les Américains qui se défiaient de l'obésité et de la carie dentaire mangeaient peu de bonbons. Pour les inciter à en consommer « la compagnie Sugar Information publiait une série de réclames exhortant les gens à essayer du « grignotement scientifique » de sucreries pour réfréner leur appétit. »*

Vance Packard.

Texte 2. « *Si vous dites à la ménagère qu'en utilisant votre machine à laver... elle sera libre de jouer au bridge, vous êtes perdu ! ... elle se sent déjà coupable de ne pas travailler autant que sa mère ... il est infiniment préférable de lui dire que cet appareil lui permettra de consacrer plus de temps à ses enfants et d'être une meilleure mère.* »

d'après Vance Packard.

La publicité est-elle favorable aux consommateurs?

Texte 1. « *Et le consommateur? En son honneur des milliards sont dépensés... Est-il le gagnant dans ce combat d'une grandissante violence? Achète-t-il des articles de qualité supérieure à moindre prix? Cela est douteux en dépit des apparences. La partie du prix de revient des produits de grande série consacrée à la publicité est souvent fort importante et contribue ainsi à augmenter le prix de vente. Et surtout le coût réel de l'objet peut être supérieur aux prix de vente initial : le double, le triple ou plus, si le consommateur achète deux ou trois fois une nouvelle voiture sans attendre que la première soit usée. Il suffit qu'un constructeur change ses modèles... persuade tout automobiliste que sa voiture de l'an passé est laide, nuit à son standing, à ses bonnes fortunes. Il suffit également que les ingénieurs dessinent sciemment des carrosseries et des accessoires de plus en plus fragiles...* »

François Richaudeau.

Texte 2. « *Sans la publicité qui, en accroissant les débouchés, a permis la fabrication en grande série donc l'abaissement des prix de revient, la voiture resterait encore aujourd'hui le privilège des classes riches.* »

Texte 3. « *Le fait le plus grave est celui-ci : la publicité s'attaque à l'âme du consommateur. De l'éveil au sommeil, il subit en quasi-permanence l'assaut brutal et insidieux d'une propagande à sens unique. L'appel publicitaire pénètre dans l'inconscient, désagrège le sens critique et la volonté, fabrique des réflexes collectifs, tend à faire de l'homme contemporain un être passif, docile et soumis aux mots d'ordre.* »

ENQUÊTES ET TRAVAUX SUR LES RÉALITÉS SOCIALES ET PROFESSIONNELLES

Les thèmes que nous vous proposons à titre d'échantillon sont largement ouverts sur la réalité du monde qui vous entoure. Ils vous incitent à mieux le connaître et à mieux le comprendre à travers des enquêtes, des lectures et des réflexions en commun. Parcourir ces thèmes c'est multiplier au contact du réel les occasions de vous exprimer et de mieux vous exprimer : sans cesse vous serez invités à rédiger des articles, à préparer des comptes rendus, à constituer des dossiers ou des panneaux d'information, à présenter des exposés, à participer à des débats.

I. — Les mal-logés

Chaque équipe constitue un dossier dans lequel elle classera au fur et à mesure ses notes et les documents recueillis.

I. Partez des réalités immédiates

celles de votre quartier ou de votre ville.

Dressez sous forme de *questionnaire* la liste des renseignements à recueillir.

Exemple. *Où vivent les mal-logés de notre commune (bidonville — vieux quartiers...) ? Dans quelles conditions vivent-ils ? Qui sont ils (français ou travailleurs étrangers — vieillards — familles nombreuses...) ? Quelles sont les causes de cette situation ? Qu'est-ce qui a déjà été fait pour améliorer cette situation ? Quels sont les projets envisagés par la municipalité ? Quels seraient finalement les véritables remèdes ?*

Étudiez *les moyens* à mettre en œuvre pour conduire cette enquête.

Attention ! une telle enquête nécessite beaucoup de tact et de discrétion. Vous ne pouvez, sauf exception, entrer chez les gens et les interroger sur leurs difficultés de logement et sur leur misère : ce serait humiliant pour eux. Cherchez donc quels moyens irréprochables utiliser : observer les lieux, interroger les assistantes sociales et les services spécialisés, exploiter une enquête déjà menée par le journal local...

En *synthèse* votre enquête peut aboutir à un dossier par équipe (avec chiffres, croquis, illustrations), à un exposé de chacune des équipes à l'ensemble de la classe, à un débat en commun (sur les causes, les conséquences, les remèdes).

2. Élargissez votre information et votre réflexion

Certaines équipes peuvent, par exemple, préparer un exposé sur l'un des sujets suivants.

— Le problème du logement en France.
— Les bidonvilles et les taudis dans le monde.
— Les conditions de logement des travailleurs au siècle dernier...

Dans le prolongement du thème des mal-logés et selon le même cheminement vous pouvez choisir d'étudier :

— la vie dans les H.L.M. et dans les grands ensembles;
— les projets d'urbanisme (comment votre ville va-t-elle se transformer dans les années à venir?) ;
— la ville en l'an 2 000 (comment sera-t-elle? Comment y vivra-t-on?)

II. — La vie de votre cité

Selon le même cheminement que pour les mal-logés vous pouvez mener une enquête sur l'un des aspects suivants :

1. Organisation administrative de votre commune (le conseil municipal, le maire, les adjoints, les services municipaux...).
2. Les problèmes posés par le ravitaillement quotidien de votre commune : en eau, en denrées alimentaires, en énergie...
   — Quels sont les services municipaux qui s'occupent de ces problèmes?
   — Existe-t-il un marché de gros? des marchés de détail? des abattoirs?
3. Les moyens de transports collectifs dans votre commune : leur organisation — les services rendus — les besoins insatisfaits — les problèmes posés...
4. Les problèmes de la circulation dans votre commune.
5. Les problèmes de la pollution dans votre commune.
6. L'agriculture ou l'industrie dans votre commune : les principaux secteurs économiques, les principales entreprises et leur importance, les problèmes posés, l'évolution en cours...

III. — Élaboration d'un guide touristique (et d'informations) sur votre ville ou votre région

Ou bien chaque équipe élabore son guide ou bien chaque équipe se consacre à un chapitre du guide élaboré en commun.

1. Réflexion préalable en commun

Que *devra comporter* ce guide destiné aux visiteurs et à toute personne étrangère à votre commune qui désire s'informer ?

Ne sera-t-il pas nécessaire de prévoir d'abord une *présentation générale* ? Que comportera-t-elle ?

Quel pourrait être ensuite *le plan* de ce guide ? Préférez-vous révéler dans l'ordre de découverte les éléments les plus significatifs (tel quartier, tel musée...) ? Préférez-vous classer tous les éléments intéressants sous quelques grandes rubriques ?

Exemple :
— *la vie économique,*
— *la vie artistique, etc.*

Cherchez alors un classement bien adapté aux ressources et aux aspects de votre ville (ou de votre région).

Dans chacune des rubriques, combien d'articles différents vous faut-il prévoir ? sur quels thèmes ?

Exemple : *pour la vie artistique prévoir un bref article de présentation pour chaque club artistique ou chaque musée de peinture...*

2. Chasse aux informations

Réfléchissez d'abord aux sources possibles d'informations à exploiter : syndicat d'initiative, mairie, journal local, connaissances de chacun d'entre vous, renseignements recueillis spontanément autour de vous, services sociaux et inspection du travail (problèmes de la main-d'œuvre...), enquêtes à conduire dans tel musée ou tel quartier.

Répartissez-vous ensuite les tâches avec précision. Qui ira à tel endroit ? Quels renseignements devra-t-on demander ? Comment prendra-t-on des notes ? Quand se réunira-t-on pour mettre en commun les informations recueillies ?

3. Exploitation des informations

Réunissez toutes les informations et classez-les par catégories. Individuellement ou par deux fixez avec précision les articles que vous allez rédiger, les croquis que vous allez réaliser, les graphiques, les tableaux comparatifs...

Étudiez ensuite l'élaboration matérielle du guide. Comment rendre sa présentation séduisante ?

IV. — Votre profession
(ou la profession qui vous attire)

Étudiez son organisation et ses débouchés dans votre ville ou dans votre région.

Quels sont les renseignements que vous souhaiteriez recueillir ? Dressez-en la liste sous forme d'un questionnaire et classez-les par catégorie.

A qui pouvez-vous vous adresser pour obtenir ces divers renseignements ? Notez les services administratifs, les organisations syndicales, les particuliers ou les entreprises qui pourraient vous apporter une information.

Répartissez-vous les tâches et menez l'enquête.

Élaborez un panneau documentaire ou un fascicule qui fasse la synthèse de vos informations.

CORRIGÉ DES EXERCICES

TABLE DES MATIÈRES

MAÎTRISER LA CONSTRUCTION DE LA PHRASE

(1) Phrases éclatées

1 : Les automobilistes qui ne respectent pas le code de la route seront punis par les autorités compétentes et les sanctions pourront aller jusqu'au retrait du permis de conduire.
2 : Une immense clameur de triomphe salua le vainqueur qui montait sur le podium.
3 : Un énorme lion à crinière noire se tenait en posture d'attaque sous un palmier.
4 : Pour conserver ses documents et pouvoir les consulter, il est nécessaire de les classer avec soin.

(2) Phrases à compléter

1 : Deux cyclistes avançaient sur la route qui conduit à la ville.
2 : Soudain, l'orage éclata et chacun s'enfuit à l'abri.
3 : Les journaux du matin ont publié la stupéfiante nouvelle avant que le Conseil des ministres réagisse.
4 : Les médecins sont au chevet du malade depuis deux jours et ils espèrent le sauver.

(3) Groupes à combiner

Le cheval fourbu s'effondra au milieu de la chaussée. La tempête fait rage en Méditerranée. Astérix et Obélix partirent à l'aventure à travers la forêt. Un groupe de jeunes chanteurs français effectue une tournée triomphale aux États-Unis. Le Conseil des ministres a pris des mesures urgentes pour enrayer le chômage. Le mauvais temps recouvre progressivement l'Europe. Les policiers recherchent les auteurs du hold-up dans la région de Nancy.

(4) Titres de journaux

Demain une conférence se tiendra à l'Élysée. Une collision entre un camion et une voiture a provoqué deux morts. De nouveaux combats très violents se déroulent au Tchad. Une épidémie sévit dans un hôpital parisien. Les négociations ont repris entre syndicats et patronat. Le mauvais temps s'installe sur toute la France.

(5) Personnage mystérieux

Se reporter aux exemples.

(6) Une idée, plusieurs constructions possibles

1 : Après que l'Allemagne eut repoussé la demande anglaise d'évacuation de la Pologne, l'ambassadeur français tenta à son tour une démarche en ce sens auprès du gouvernement allemand.
2 : La découverte des chercheurs qui, étudiant le cancer depuis des années, viennent enfin d'identifier les corpuscules qui le provoqueraient, permet d'espérer pour bientôt un progrès dans la thérapeutique.
3 : La hausse incessante du prix du pétrole se répercute sur le coût de tous les produits transportés et détermine, en Occident, une grave crise économique que chaque gouvernement cherche à résoudre.

(7) L'expansion dans l'équilibre

1 : Pendant un an et malgré de multiples difficultés, deux jeunes gens ont fait le tour du monde en auto-stop, afin de mener une enquête sur les conditions de travail des lycéens.
2 : Œuvre du sculpteur français Bartholdi la gigantesque statue de la Liberté s'élève à l'entrée du port de New-York, tournée vers le large.
3 : Malgré son impuissance devant certains maux, la médecine accomplit sans cesse des progrès pour le bonheur des hommes.

4 : Sous la pression des grandes puissances, les délégués des deux pays belligérants se réunirent à deux reprises, dans le plus grand secret.
5 : Pendant plus d'une heure, l'avocat plaida sans une note, avec une conviction qui ébranla le jury.

(8) et (9) Passer de l'affirmation à la négation

Se reporter aux exemples.

(10) Nous donnons deux autres exemples :

1 : Que pensez-vous des évènements ? Quelles réflexions vous inspirent les évènements ? Quelle est votre opinion sur les évènements ?...
2 : Serez-vous des nôtres lors de notre prochain spectacle ? Pouvons-nous compter sur votre présence à notre prochain spectacle ?... etc.

(11) La forme interrogative peut aussi permettre d'affirmer

Nous donnons deux autres exemples complémentaires :

1 : N'oublie-t-on pas facilement la misère des pays du Tiers-Monde ? Ne sommes-nous pas tentés d'oublier la misère du Tiers-Monde ?...
2 : Un métier, n'est-ce pas aussi un moyen de s'épanouir ? Le métier ne peut-il être un excellent moyen d'épanouissement ?

(12)

1 : Je souhaite votre réussite.
2 : J'ordonne l'abattage des arbres.
3 : Je voudrais être certain de votre approbation.
4 : Il est heureux de notre présence.
5 : Nous regrettons le départ de vos amis
6 : Nous souhaitons votre venue.

(13) Transformer en un groupe nominal

1 : La reprise des hostilités inquiète l'O.N.U. **2 :** L'intervention des casques bleus est souhaitée par tous. **3 :** La disparition de certaines espèces animales est un phénomène tragique. **4 :** La transformation rapide des conditions de vie exige une aptitude croissante à l'adaptation. **5 :** La réalisation de nos projets est imminente. **6 :** La simplification de votre travail par ce procédé vous permettra d'accroitre vos rendements. **7 :** La réussite de ce spectacle fut totale. **8 :** L'élaboration d'une nouvelle loi sur la presse exigea un long travail préliminaire.

(14)

1 : L'exiguité de cette pièce est gênante. **2 :** La modestie de notre ami est proverbiale. **3 :** L'efficacité de nos moyens doit nous assurer la réussite. **4 :** La crédulité des gens est exploitée par les escrocs. **5 :** La compétence de cet ingénieur lui a valu des propositions de diverses entreprises. **6 :** L'inutilité de votre tentative est évidente. **7 :** La clarté de votre explication m'a convaincu. **8 :** La simplicité de ce problème n'est qu'apparente.

(15)

Se reporter à l'exemple.

BIEN UTILISER LA PONCTUATION

o Test :

Le soleil s'éteindra-t-il ? Nous laissons cette question aux romanciers d'anticipation. Ce qui nous intéresse, nous, c'est l'avenir de notre époque, son avenir immédiat, limité, évaluable. Comment améliorer le sort des plus malheureux ? Que faire pour juguler les guerres qui ensanglantent une partie de notre planète ? Voilà des questions qui exigent des réponses urgentes. «Laissez-nous rêver en paix, répondent les imaginatifs. Que diable ! nous avons bien assez de soucis !».

(1)

Le charbonnier descendit les cinq étages - Par la fenêtre, un enfant le regardait - J'aperçus un chien .Sur une assiette, des restes de gâteaux le tentaient - Jean était affamé, il mangea sans lever la tête - Ses deux voisines, apitoyées, et ses parents, souriants, l'observaient.

(2)

Femmes, moine, vieillard, tout était descendu. «Sire, dit le Renard, vous êtes trop bon roi». Voici des fleurs, des fruits, des feuilles et des branches. Demain, dès l'aube, à l'heure où blanchit la campagne, je partirai.

(3)

Que dites-vous ? Quelle bonne surprise ! Comme il fait chaud ! Où est-il passé ? Haut les mains ! Connaissez-vous Rachel ? Quelle heure est-il ? Attention ! tout va sauter !

(4)

Pas de corrigé.

(5)

La voiture vint s'immobiliser au bord de la chaussée.
«Montrez-moi vos papiers, demanda l'agent au chauffeur.
— Je les cherche... tenez, les voilà ! Mais je vous assure que je n'ai pas vu le stop et je vous prie de m'en excuser».
L'agent hocha la tête et ne voulut rien entendre.
«Moi, dit-il, je veille au respect du code de la route. C'est mon métier».

(6)

Montaigne a écrit : «Savoir par cœur, n'est pas savoir». Connaissez-vous ces paroles de Saint-Exupéry : «La grandeur d'un métier est peut-être avant tout d'unir des hommes». «Puissent tous les hommes se souvenir qu'ils sont frères» a dit Voltaire.

S'EXPRIMER AVEC CLARTÉ ET NETTETÉ

(1)

Division : opération par laquelle on cherche combien de fois un nombre, appelé diviseur, se trouve contenu dans un autre, appelé dividende. **Hôtel :** établissement où on loge les voyageurs. **Bouton :** petit disque servant à attacher les vêtements. **Magnétophone :** appareil d'enregistrement et de restitution des sons par aimantation d'un ruban.

(2)

Comment utiliser l'appareil ?

1. Décrocher et attendre la tonalité.
2. Pour former le numéro d'appel de votre correspondant, procéder de la façon suivante pour chacun des chiffres qui le composent : introduire le doigt dans la partie évidée correspondant au chiffre et faire tourner le cadran jusqu'à ce que votre doigt vienne toucher le butoir métallique.
3. Attendre que votre correspondant décroche à son tour.

(3) Un match de football

Les 22 joueurs divisés en deux camps s'efforcent d'envoyer un ballon dans le but du camp adverse, sans utiliser les mains. L'équipe vainqueur est celle qui a marqué le plus de buts.

(4) Un stylo

1 : Dévisser le capuchon.
2 : Enlever la cartouche usée.
3 : Introduire à la place la cartouche neuve.
4 : Revisser le capuchon.

(5) Un compas

Le compas est un instrument composé de deux branches articulées à leur sommet et comportant à leur extrémité inférieure, l'une une pointe sèche, l'autre un marqueur (crayon, plume...). Il est destiné essentiellement à tracer des cercles et à reporter des mesures.

(6)

Voir l'exemple précédent : le compas.

(7) L'essentiel et l'accessoire

1 : Une **boussole** est composée par une aiguille aimantée qui pivote sur un axe vertical. La pointe de l'aiguille aimantée indique le Nord.
2 : Tiroir : petite caisse qui s'emboite dans une armoire, une table... etc et qu'on peut tirer à volonté. **Taille-crayon :** petit outil garni à l'intérieur d'une lame tranchante et dans lequel on introduit les crayons pour les tailler. **Briquet :** petit appareil servant à produire du feu, selon divers procédés.
3 : Le **sablier** est un appareil comportant deux compartiments d'égale dimension. Une certaine quantité de sable en s'écoulant du compartiment supérieur au compartiment inférieur mesure une durée déterminée.

(8) Fonctionnement d'une bicyclette

La bicyclette est un véhicule individuel à deux roues d'égal diamètre. La roue arrière est mise en mouvement par une chaine qui transmet la pression exercée par les jambes du cycliste sur deux pédales solidaires et opposées.

(9) Exemple : La formation des dunes

«Une dune marine présente une pente douce du côté de la mer, une pente abrupte du côté de la terre.
Sa formation s'explique aisément. Quand le vent de la mer souffle sur le sable sec d'une plage peu inclinée, il entraine les grains. Si le sable rencontre un obstacle (touffe d'herbe, roche, aspérité du sol... etc), il s'y entasse en un monticule. De nouveaux grains de sable en remontent la pente, tourbillonnent au sommet puis retombent en arrière.
Ainsi se forme une dune». *(un manuel).*

(10) Exemple : Le fonctionnement d'un compte chèque postal

Les chèques postaux tiennent un état exact des opérations du titulaire d'un compte. Les opérations à son profit (versement, chèque ou virement dont il est bénéficiaire) sont inscrites dans la colonne crédit ; les autres opérations (retrait, par exemple) dans la colonne débit. La différence constitue, à chaque instant, le solde.

(11) Le camping

– Activité sportive ou touristique
– Comportant au moins une nuit hors de chez soi

– Sous la tente

(12)

1. Culture :
- acquisition de connaissances
- développement des qualités intellectuelles (jugement, esprit critique...)
- développement de la sensibilité (sentiment de la qualité, sentiment de la beauté...).

2. Démocratie :
- principe de gouvernement
- dans lequel l'autorité émanedu peuple
- reposant le plus souvent sur le suffrage universel.

3. Progrès :
- évolution de l'humanité
- à caractère favorable
- pouvant se manifester dans des domaines divers (technique, social, humain...).

(13) Exemple complémentaire : le bonheur

- Bonheur végétatif (toutes les fonctions physiologiques sont satisfaites et s'exercent sans difficulté).
- Bonheur dans l'action et la lutte.
- Bonheur dans le repos et la sérénité.
- Bonheur dans le dévouement et l'oubli de soi... etc.

(14) Dissipez l'équivoque

1 : Monsieur Dupont fête son anniversaire, à son domicile, demain. Il est heureux d'inviter Monsieur Durand. **2** : La Comtesse s'approcha et ouvrit la gueule du chien. **3** : Bien que le fauteuil ait été vermoulu, le Ministre voulut s'y asseoir. **4** : Après avoir heurté un piéton qui fut tué sur le coup, le chauffard prit la fuite. **5** : Secouez ce médicament avant de le donner au malade. **6** : Ce chat, qui a de si longues oreilles, appartient à Monsieur le Maire.

(15) Dissipez l'équivoque

1 : Le professeur a convoqué la mère de Gustave au sujet du travail de son fils. **2** : Mes amis ont un chat qu'ils ont demandé à mes parents de garder. **3** : Le biberon doit être tenu propre ; on le dévisse et on le nettoie sous le robinet quand l'enfant a bu. **4** : Le traiteur a préparé, pour sa cliente, une tête de veau qu'il a décorée d'un brin de persil dans le museau. **5** : La pipe entre les dents, il observait son chien.

(16) Un camion a enfoncé un mur d'école

1 : sujet - verbe - complément

3 : Un lourd camion d'origine italienne a enfoncé, hier soir, le mur d'une école que personne, heureusement, n'occupait à cette heure tardive. Le véhicule, comme il le faisait régulièrement chaque semaine depuis deux ans, retournait dans son pays par la route du littoral, après avoir chargé des troncs de sapins dans l'Estérel. La collision s'est produite à la sortie de Saint-Isidore, au bas d'une descente, alors que le camion abordait à vive allure un virage particulièrement dangereux et insuffisamment signalé, malgré des accidents antérieurs souvent tragiques, hélas !

(17) Rétablir la clarté d'un texte

Les membres de la communauté européenne examineront une fois de plus, le 6 décembre, l'avenir du centre commun de recherches, dont le principal établissement se trouve à Ispre, en Italie. On se souvient qu'ils s'étaient rencontrés la semaine dernière avec leurs homologues de 13 pays pour donner le départ de la coopération scientifique et technique européenne dans la voie prévue par les réunions antérieures. Malgré les bonnes intentions proclamées, ces concertations n'ont, jusque là, pas abouti.

(18) Incorporer des précisions

1 : En Afrique australe, seule région de forte implantation européenne dans ce continent, les Blancs pratiquent une politique de ségrégation à l'égard des Noirs qui les dominent en nombre et par lesquels ils craignent d'être balayés. Le parti nationaliste intransigeant s'est fait le champion de cette politique à laquelle l'opinion publique internationale est hostile.

2 : La longévité dans le monde augmente avec l'élévation du niveau de vie, très inégale selon les pays, et avec les progrès de la médecine et de la chirurgie. Ainsi, l'emploi des antibiotiques, dont le premier fut la pénicilline découverte en 1925 par l'Anglais Flemming, permet de combattre l'action des microbes.

3 : La publicité qui s'est développée en même temps que le grand commerce, a envahi toutes les formes de la vie contemporaine. Utilisant l'affiche, la radio, la télévision, la presse, elle stimule la production et les échanges et, finalement, profite sans doute à tous, producteurs et consommateurs.

(19) Énoncer d'abord l'idée directrice

1 : Trois sortes de centrales peuvent produire de l'électricité : les centrales thermiques utilisent un combustible, les centrales hydrauliques l'énergie de l'eau en mouvement, les centrales nucléaires la fusion de l'atome.

2 : L'Église, au Moyen-Age, a trois fonctions : elle joue un rôle politique important ; elle favorise le progrès économique, les moines participant activement aux défrichements et améliorant les possibilités de culture ; elle apporte enfin une unité spirituelle à la Chrétienté, et c'est là sa fonction essentielle.

3 : Un syndicat peut être dissous dans deux cas : par une décision de ses membres ou par une décision de justice pour infraction aux lois.

(20) Jalonner de mots charnières

1 : Les inspecteurs du travail ont de nombreuses fonctions : en premier lieu ils ont un rôle administratif, en second lieu un rôle de conciliation et d'arbitrage dans les conflits du travail, en troisième lieu un rôle de contrôle de l'application de la législation du travail.

2 : Trois conditions sont nécessaires pour être électeurs des délégués du personnel : d'abord avoir 18 ans, ensuite travailler depuis six mois dans l'entreprise, enfin ne pas avoir subi de condamnation.

(21)

S'inspirer des exemples précédents.

(22) Jalonner de mots rubriques

S'inspirer de l'exemple donné : on pourra ainsi distinguer les conséquences économiques, sociales et humaines du machinisme. Les conséquences politiques, sociales et humaines de la révolution de 1789 ; les causes lointaines et les causes immédiates des guerres...

Les rubriques peuvent être diversifiées dans leur formulation : au point de vue social, en matière sociale, sur le plan social...

S'EXERCER A DÉMONTRER ET A CONVAINCRE

(1) Trouver deux preuves

Trois exemples complémentaires :

1 : Le prix d'achat de la bicyclette est peu élevé par rapport à celui des autres véhicules ; elle ne consomme aucun carburant.

2 : Elles sont pour le citadin des lieux de promenade, de détente et de rencontre. Elles stimulent les commerces qui y sont implantés et qui deviennent très accessibles.

3 : Les arbres constituent une sorte d'architecture naturelle indispensable à la beauté du paysage. Ce sont des éléments d'équilibre écologique (fixation du sol - purification de l'air - asile pour la faune... etc).

(2) Rattacher les preuves

– Utilisation de **car, puisque, en effet...**
– Application aux exemples (1)

1 : Il n'est pas de moyen de transport plus économique que la bicyclette ; **en effet** son prix d'achat est moins élevé que celui des autres véhicules et elle ne consomme aucun carburant.

2 : Les rues piétonnes sont utiles dans le centre des villes **car** elles sont pour le citadin des lieux de détente et de promenade ; **en outre**, elles stimulent les commerces qui y sont implantés et qui deviennent très accessibles...etc.

(3) Distinguer l'affirmation et les preuves

1 : première phrase : affirmation - deuxième phrase : ensemble de preuves (éclairage, chauffage, nourriture, transport) reliées par «c'est ainsi que...».
2 : première phrase : affirmation - deuxième phrase : quatre exemples introduits par les deux points.
3 : première phrase : affirmation - deuxième et troisième phrases : deux preuves présentées sous la forme interrogative

(4) Justifier (deux exemples)

1 : La publicité est envahissante. C,est ainsi qu'on ne peut tourner le bouton de la radio sans entendre vanter les mérites d'un dentifrice ou d'une poudre à laver.
2 : Le téléphone est un instrument pratique. Souhaite-t-on passer une commande, ou obtenir un renseignement, il suffit de composer un numéro. Veut-on parler à un ami qui habite à quelques milliers de kilomètres ? Le voici au bout du fil.

(5) Justifier la limitation de la vitesse

– parce que nul n'est à l'abri d'un moment d'inattention,
– parce qu'une défaillance mécanique est toujours possible et qu'à grande vitesse elle peut provoquer une catastrophe.

Nota : dans l'argumentation rédigée, il ne faudrait pas s'en tenir à cette succession de «parce que», mais varier la présentation (voir (2) et (3).

(6) Les masses lisent et liront davantage

– parce que la diffusion croissante de l'instruction doit créer des besoins croissants de lecture,
– parce que la télévision elle-même, en multipliant les émissions consacrées aux livres, suscite le désir de lire,
– parce que les bibliothèques de prêts s'installent peu à peu dans chaque quartier.

(7) Défendre un point de vue

Deux exemples :

1 : Une solide formation de base est indispensable pour un travailleur. C'est, en effet, grâce à elle qu'il pourra se perfectionner dans son métier et en gravir les échelons. En outre, dans un monde en mutation constante, chacun doit être prêt à se reconvertir en prenant appui, précisément, sur une large formation générale.
2 : Le football est, à mons avis, l'un des meilleurs sports d'équipe car, tout en développant des qualités individuelles de rapidité, de vigueur et de réflexe, il oblige chacun à s'oublier dans le souci de la victoire collective et à dépasser ainsi son individualisme.

(8) Dissuader

Au bout de la cigarette, c'est votre argent et votre santé qui partent en fumée — Ne nous enfumez pas. Merci ! — Chaque cigarette est une petite dose de poison — Au bout de chaque cigarette, un filtre : vos poumons.

(9) .

Pas de corrigé.

(10) Appels publicitaires

Exemple : Respectez la nature.

Comme vous, les arbres vivent : respectez les — La Nature vous accueille : respectez la — Détruire la Nature, c'est se détruire soi-même — La Nature est menacée. Défendez-la — La Nature vous appelle au secours.

(11) Étalez vos vacances

Ne suivez pas la foule. Vivez autrement. Prenez des vacances d'hommes libres !... Juin et Septembre appartiennent aussi à la saison du soleil, mais avec plus de douceur dans l'air, plus de tendresse. L'été est là, mais adouci par les souffles du printemps ou de l'automne. Il fait bon vivre !...
Vous roulerez à l'aise sur les routes, vous bénéficierez de tarifs réduits dans les hôtels et les campings. Moins pressés, les gens vous accueilleront mieux et vous découvrirez, ici et là, des beautés que la foule vous cachait.
Prendre ses vacances en juin ou en septembre, c'est les choisir.

(12) et (13) Une argumentation «pour» ou «contre»

Voici à titre d'exemple un texte de Daniel Mayer contre la peine de mort :

«La peine de mort aurait, dit-on, une valeur exemplaire. Pourquoi, s'il en est ainsi, les crimes n'ont-ils pas diminué ? Pourquoi, dans les pays où elle existait et a été supprimée, la criminalité n'a-t-elle pas augmenté après cette suppression ? Pourquoi les autorités judiciaires et administratives — qui, auparavant, dressaient les échafauds sur la voie publique — cachent-elles les bois de justice, au petit matin, au fond des cours de prison ? Et enfin, peut-on ignorer que, dans certains milieux, ceux des truands les plus redoutables, le fait d'être exécuté est une sorte de promotion, le couronnement d'une vie «en marge? »

LA CORRESPONDANCE : indications générales

(1)

Neutre : formule 1
Déférente : formule 2 (éléments marquant la déférence : *«je vous prie», «respectueux»*)

(2)

Verbe : *acceptez, prie d'accepter*. Groupe complément : élément C. L'élément B vient interrompre le déroulement de la phrase.

(3)

Les verbes sont à l'impératif. Ce mode exprime, en particulier, l'ordre.
— **«agréez»** signifie *«recevez favorablement»*. **«Recevez»** marque simplement le fait de prendre ce qui est envoyé. **«Acceptez»** marque que l'on demande au destinataire son adhésion (il peut ne pas accepter). **«Agréez»** ajoute une nuance de courtoisie supplémentaire : le destinataire est censé accorder une «faveur» en acceptant les salutations.
— Pour composer les formules possibles, utiliser tour à tour dans la formule chacun des verbes A. Constatez que « **Cher Monsieur** » est plus familier que « **Monsieur** » et suppose que l'expéditeur et le destinataire se connaissent.

(4)

«Veuillez» est à l'impératif, mode de l'ordre (en particulier), mais fait appel au bon vouloir du destinataire.
— Pour composer les formules possibles, combiner chacun des deux éléments A avec chacun des éléments C.

(5) Verbe principal à l'indicatif

— Déférence croissante : en **A**, au niveau 2, l'impératif subsiste encore. Il disparait au niveau 3. Au niveau 4, s'ajoute «bien vouloir» ; en **B**, s'introduit en particulier l'adjectif «respectueux».
— Même système de combinaison que précédemment.

(6) Formules terminant une lettre

1 : Veuillez accepter, Monsieur, mes salutations distinguées.

2 : Je vous prie d'accepter, Monsieur le Maire, l'assurance de mes sentiments les meilleurs.

3 : Je vous prïe d'accepter, Monsieur, l'assurance de mes sentiments distingués

4 : Je vous prie d'agréer, Monsieur le Directeur, l'expression de mes sentiments dévoués.

5 : Je vous prie de bien vouloir agréer, Monsieur l'Inspecteur d'Académie, l'expression de mes sentiments respectueux.

LA CORRESPONDANCE :

quelques types de lettres usuelles

(1) Exercices d'application

Monsieur,

Je vous serais très reconnaissant de bien vouloir m'apporter un certain nombre de renseignements qui me seraient utiles. Je désire, en effet, passer le mois d'août sur le terrain de camping municipal de votre commune du Chambon sur Lignon, afin d'explorer les départements de la Haute-Loire et de l'Ardèche.

Auriez-vous l'obligeance de m'indiquer de quelles ressources dispose le camping et de quelles possibilités d'approvisionnement le touriste peut bénéficier aux environs immédiats ?

En outre, j'aurais aimé connaitre s'il existe, au départ du camping, des itinéraires pédestres ou cyclistes présentant un caractère de pittoresque.

Je vous exprime ma gratitude pour toutes les informations que vous pourrez ainsi m'apporter et je vous prie de croire, Monsieur, en mes sentiments les plus distingués.

(2)

S'inspirer du modèle figurant dans la leçon et du corrigé précédent (1).

(4) Lettre de commande

– **Formule d'attaque** : Je vous prie de bien vouloir m'expédier... – Voulez-vous avoir l'obligeance de m'expédier... – Je désirerais que vous me fassiez parvenir dans les meilleurs délais...

– **Formule de politesse** : Veuillez croire Monsieur, en mes sentiments distingués... – Acceptez, Monsieur, mes salutations distinguées... – Je vous prie de croire, Monsieur, en mes sentiments les meilleurs...

(5) Un exemple :

Monsieur,

Je vous serais reconnaissant de me faire parvenir dans les meilleurs délais les ouvrages suivants dont j'ai un besoin urgent :

– «L'informatique» de Jean Borjeix collection : encyclopoche Larousse éditeur : Larousse
– «Les pouvoirs de la télévision» de Jean Cazeneuve. Collection Idées. éditeur : Gallimard
– «Le racisme dans le monde» de Pierre Paraf. Petite bibliothèque Payot (4ème édition)

Veuillez avoir l'obligeance de joindre à votre expédition la facture, afin que je puisse vous adresser immédiatement un chèque de paiement.

Je vous prie de croire, Monsieur, en mes sentiments les meilleurs.

(6) Lettre de réclamation

– **Formules d'attaque** : J'ai le regret de vous faire connaitre que.... ; Je vous signale que... ; Je suis dans l'obligation de vous signaler que... ; J'ai constaté, avec regret, que...

– **Formules de politesse** : voir corrigé (3)

(7) Un exemple

Monsieur,

J'ai le regret de vous faire connaitre qu'une erreur s'est glissée dans votre expédition du 16 mars dernier.

Vous m'avez adressé «L'information» de Jacques Baujeu, édité chez Larousse, alors que je vous demandais «L'informatique» de Jean Borjeix, du même éditeur mais publié dans la collection «encyclopoche».

Je vous serais obligé de me faire parvenir rapidement cet ouvrage et de m'indiquer selon quelles modalités je dois vous retourner celui que vous m'avez adressé par erreur.
Veuillez croire, Monsieur, en mes sentiments distingués.

(8) Une lettre à la Direction des P.T.T.

Monsieur le Directeur,

Je désire obtenir une installation téléphonique dans mon appartement et je vous serais reconnaissant de m'adresser à cet effet le dossier à remplir.

Je vous en remercie et je vous prie d'accepter, Monsieur le Directeur, l'expression de mes sentiments distingués.

(9) Une lettre à la gendarmerie

Monsieur,

J'ai l'honneur de porter plainte pour un vol commis, en mon absence, dans ma maison de campagne située à Roquefort-les-Pins (département des Alpes Maritimes).

Les voleurs se sont vraisemblablement introduits par une lucarne du toit dans la nuit de samedi à dimanche. J'ai relevé en effet, un certain nombre de traces marquant le chemin suivi.

Quelques objets de valeur ont été dérobés dont je vous adresse la liste jointe à cette lettre.

Je suis à votre disposition pour l'enquête et je vous prie de croire, Monsieur, en mes sentiments les meilleurs.

(10) Demander son inscription à un concours

Monsieur l'Inspecteur d'Académie,

J'ai l'honneur de solliciter mon inscription au concours de.... qui doit se dérouler le 15 juin 1981 dans votre Académie.

Je vous prie de trouver ci-joint, dûment rempli, l'imprimé que vos services m'avaient fait parvenir et précisant les conditions d'inscription. Un chèque correspondant au montant des droits à payer accompagne également cette lettre.

Je vous prie de bien vouloir agréer, Monsieur l'Inspecteur d'Académie, l'expression de mes sentiments respectueux.

(11) Demande d'emploi

— **Formules d'attaque :** J'ai lu votre annonce parue dans le «Progrès» et je me permets de faire acte de candidature pour le poste de.... vacant dans votre établissement - Votre annonce parue dans le «Progrès» a retenu mon attention et j'ai l'honneur de vous soumettre ma candidature au poste de...

— **Formules de politesse :** Je vous prie de bien vouloir agréer, Monsieur le Directeur, l'assurance de mes sentiments respectueux - Je vous prie de croire, Monsieur le Directeur, en mes sentiments tout dévoués.

(12)

Formulation individuelle ; pas de corrigé possible.

LE COMPTE RENDU D'ÉVÈNEMENTS

(1)

Se reporter à l'exemple qui précède.

(2) Réduire une information

L'expérience actuellement en cours à l'usine Renault du Mans vise à humaniser les traditionnelles conditions de travail à la chaine. On sait que chaque ouvrier n'accomplit qu'une opération bien précise, répétant toute la journée le même geste. Il s'agirait de substituer à cette tâche monotone et parcellaire une nouvelle méthode de travail qui permettrait de faire effectuer au même ouvrier successivement toutes les opérations de la chaine. Chacun monterait ainsi l'ensemble des trains avant et arrière des voitures et aurait donc une vue d'ensemble de son travail dont il assumerait la maitrise et la responsabilité. Mais il ne s'agit là que d'un essai limité.

(3)

Travail essentiellement individualisé ne pouvant comporter de corrigé.

(4)

Se reporter à l'exemple qui précède.

LE COMPTE RENDU D'ACTIVITÉS

(1)

J'ai l'honneur de vous rendre compte des travaux effectués... - Voici le compte rendu des travaux effectués...

(2)

Je me permets de vous rendre compte ci-dessous de la démarche dont vous avez bien voulu me charger.

(3) Club des jeunes : compte rendu d'activité

L'année qui s'achève a été riche en initiatives et en activités dont nous voudrions ici rappeler l'essentiel.

(4) Compte rendu

Nous avons tenté une démarche d'information auprès de l'Inspection du Travail afin de mieux connaitre les possibilités d'emploi dans notre profession. Après avoir brièvement rappelé les circonstances de cette démarche et les difficultés rencontrées, nous vous exposerons les conclusions, encore partielles, auxquelles nous avons abouti...

(Il s'agit là d'une introduction qui annonce le plan suivi. Le développement, variable selon chacun, doit respecter ce plan).

(5) et (6)

Travaux essentiellement variables et individuels, pour lesquels un corrigé n'est pas envisageable.

LE RAPPORT

A titre d'exemple complémentaire, pour les cinq exercices, nous proposons le corrigé suivant correspondant à l'exercice (1).

«La bibliothèque de notre établissement a été fondée en 1971 par le comité d'entreprise. Elle ne comportait au départ qu'un fonds réduit d'une vingtaine de livres qui s'est progressivement enrichi. Elle est constituée aujourd'hui par 214 ouvrages qui peuvent être classés sous différentes rubriques : 43 sont des ouvrages d'information technique, économique ou juridique ; 60 ont un caractère historique ; les 111 livres restants sont des romans dont 60 des romans policiers. Ces différents ouvrages ont été acquis grâce à une subvention variable qui nous est accordée chaque année. Un bibliothécaire bénévole, Monsieur Decreux, est chaque soir, de 18 h à 18 h 30, à la disposition des emprunteurs. Chaque livre comporte à la première page une fiche cartonnée sur laquelle sont notées les indications suivantes : nom de l'emprunteur - date d'emprunt - date de retour - observations particulières. Un ouvrage ne peut pas être gardé plus d'une quinzaine de jours et des sanctions ont été prévues pour retard.

Ces brèves données étant rappelées, deux questions complémentaires peuvent être posées :

— Quelles sont les insuffisances de la bibliothèque, tant en matière de ressources qu'en matière de fonctionnement ?

— Comment apporter les améliorations nécessaires ?

....

(Continuer ensuite le développement de ce rapport en apportant tour à tour des réponses à chacune de ces deux questions).

BIEN COMPRENDRE LE SUJET

(1) Questions auxquelles répondre :

Quels sont les plaisirs et les profits que m'apporte la lecture ? Quels sont les plaisirs et les profits que m'apporte la télévision ? Finalement, laquelle des deux activités l'emporte dans mes préférences ?

(2) Questions auxquelles répondre :

Dans quelle mesure la machine contribue-t-elle : à la libération de l'homme ? à son bonheur ?

Dans quelle mesure la machine est-elle un obstacle : à la libération de l'homme ? à son bonheur ?

RECHERCHER LES IDÉES QUE VOUS AUREZ A DÉVELOPPER

(1) Plan de recherches

1 : Les méfaits de l'alcoolisme : pour l'individu - pour sa famille - pour la société toute entière.

2 : Les arguments en faveur des voyages - les arguments contre les voyages.

3 : La part de vérité dans cette opinion - La part d'erreur ou d'exagération.

(2)

1 : La vie dans une grande ville

• *points positifs*
- des possibilités de travail
- des facilités de vie : ressources commerciales, ressources médicales (en cas de maladie...)
- des possibilités de distraction (animation de la rue, spectacles... etc)
- des possibilités de culture (musées, conférences... etc)

• *points négatifs*
- l'anonymat et le manque de contact humain
- le bruit, la foule, l'agitation
- la pollution de l'air et le manque de contact avec la nature

1 : La vie à la campagne

• *points positifs*
- un cadre de vie naturel et sain
- une certaine familiarité dans les relations humaines
- un rythme de vie plus paisible
- le silence

• *points négatifs*
- des possibilités de travail réduites
- vie souvent plus rude, moins facile
- des distractions limitées
- peu de ressources culturelles

2 : Travail de l'artisan

• *points positifs*
- plus grande liberté
- tâches plus variées et souvent plus créatrices

2 : Travail de l'ouvrier d'usine

• *points positifs*
- horaires limités
- pas de préoccupations de gestion ou de recherche de la clientèle

— cadre de travail qui peut être plus agréable
— contacts sociaux dans le travail (avec la clientèle, par exemple)
— possibilité de se mettre à son compte

o *points négatifs*

— soucis de gestion du petit artisan à son compte

— certaines possibilités de promotion éventuelle, si l'entreprise est importante

o *points négatifs*

— tâches souvent monotones, parcellaires et répétitives
— pas de responsabilité, ni d'indépendance
— cadre de travail souvent bruyant et rebutant

(3)

1 : Les voyages nous font découvrir le monde : découverte de paysages nouveaux - découverte de monuments, de musées, de villes - découverte d'un style de vie auquel nous ne sommes pas habitués - découverte d'êtres humains façonnés par un autre climat, une autre culture, d'autres habitudes de vie...

2 : Les loisirs offrent à l'homme la possibilité de se cultiver : Pourquoi ? Notre travail peut nous enfermer dans un petit monde restreint de problèmes et de soucis. Il faut en sortir pour se cultiver. Comment ? par la lecture, la réflexion, les émissions, les spectacles, les conférences, les cours, la discussion, la visite de musées... etc.

CLASSER LES IDÉES QUE VOUS AVEZ DEGAGÉES

(1) Regrouper les idées qui ont une parenté

Équilibre physique et nerveux (1 - 2 - 4 - 7 - 8) ; **épanouissement moral** (5 - 6 - 9 - 10 - 11) ; **enrichissement et découverte** (3 - 12).

(2) Les grandes divisions du plan

1 : Pollution : les formes de la pollution les remèdes possibles.

2 : Grands ensembles : les points positifs des grands ensembles - les points négatifs.

3 : Travail féminin : dans quelle mesure ce point de vue est-il valable ? Dans quelle mesure ce point de vue est-il contestable ?

RÉDIGER INTRODUCTION ET CONCLUSION

(1) Les grands fonds marins

Un certain nombre d'activités sont traditionnellement liées à la mer, comme la navigation et la pêche. Mais jusqu'ici, faute de possibilités techniques, l'homme ne pouvait envisager d'exploiter les fonds marins dont il ignorait à peu près tout. Depuis une vingtaine d'années, ses possibilités d'investigation se sont considérablement accrues. Ne peut-il en espérer à la fois une meilleure connaissance scientifique et la maitrise de ressources nouvelles ?

(2) La politesse

La politesse est de l'ordre des traditions et des usages. Les adultes ont souvent tendance à en rappeler les règles à la jeunesse sur le ton du reproche et de la leçon morale. Aussi, certains adolescents s'en défient et la relèguent au rang des préjugés qui ont fait leur temps. Qu'en penser ? Peut-on, sans elle, imaginer une vie sociale ?

(3)

Ainsi, la connaissance des grands fonds marins peut ouvrir à l'homme des possibilités nouvelles. L'histoire de la formation de la Terre peut être éclairée par cette étude, peut-être même certains phénomènes comme les séismes ou les activités volcaniques. Des espèces animales ou végétales inconnues y survivent, sans doute, encore. Mais la science ne sera peut-être pas seule à gagner à cette investigation : des ressources nouvelles peuvent y être découvertes, exploitables par l'industrie.
N'est-il pas étrange que la vie née des Océans revienne aujourd'hui à ses origines !

(4)

En conclusion, il n'est guère de vie sociale possible sans une certaine courtoisie dans les rapports humains. Elle facilite le dialogue et l'échange, évite les heurts, nous enseigne à maitriser notre agressivité et nos instincts. Certes, on en peut condamner certains excès mondains ou les hypocrisies d'expression auxquels elle aboutit abusivement, mais elle reste nécessaire dans ses exigences essentielles.

RÉDIGER PARAGRAPHE PAR PARAGRAPHE

(1)

Idée principale : première phrase.

(2)

Au moins trois catégories d'exemples (pollution - embouteillage - week-ends)

(3)

Idée principale : première phrase.

(4)

Deux exemples : mère de famille, ouvrier - dernière phrase : «usine» reprend en élargissant «ouvrier» ; «habitation» reprend en élargissant «mère de famille»

(5)

Se reporter à l'exemple de la bicyclette, très explicite.

(6)
Fait constaté : première phrase.

(7)
La neige.

(8)
«Ce n'est pas... mais...» (on écarte une explication possible mais erronée pour présenter l'explication véritable).

(9)
Fait constaté : première phrase.

(10)
Trois raisons différentes.

(11)
Deuxième phrase.

(12) Exemple complémentaire

Le citadin s'efforce, dès qu'il le peut, de rejoindre la campagne. Ce phénomène répond à des besoins évidents. D'abord l'homme, même civilisé, reste par tempérament un nomade : il a besoin de changer d'horizon et de mode de vie. Mais, plus profondément, l'homme des villes veut rejoindre cet univers naturel d'arbres, de plantes et de bêtes dont il se sent privé comme d'une part de lui-même. Il y redécouvre les bienfaits du silence, de la contemplation et de la solitude qui lui apportent détente et renouveau.

(13) Mots de liaison

1 : En France, trop de logements sont encore insalubres ou insuffisants / **Toutefois**, depuis plusieurs années... dans un sens favorable / **En dépit de** cette contribution, un important effort...

2 : La viande... nécessaires à la vie / **C'est pourquoi** elle est considérée... indispensable / **Il n'en est pas moins vrai que** certains ne partagent pas...

3 : Le mot... ignorant / **Malgré cela** la plupart des analphabètes... celui qui ne l'est pas / **Par conséquent** ils ont rarement...

(14) Exemple

a : La télévision pourrait être un puissant moyen d'éducation et de culture pour tous les hommes. Mais le souci de plaire au plus grand nombre, joint à certaines préoccupations financières, conduit les programmateurs à se satisfaire souvent d'émissions médiocres ou faciles. Aussi la télévision, si elle est aujourd'hui un instrument privilégié d'information et de distraction, n'est pas encore le moyen de formation dont on pourrait rêver.

(15)

Voir exemples (14), (13), (12) et les exemples du chapitre.

ENCHAÎNER LOGIQUEMENT LE DÉVELOPPEMENT

(1)
Introduction : première phrase - trois paragraphes - conclusion : dernière phrase.

(2)
La transformation profonde de l'agriculture française (phrase 1).

(3)
Perfectionnement de l'outillage - rendements accrus - apparition d'un nouveau type de paysan.

(4)
La première phrase de chaque paragraphe - le mot «ainsi» pour la conclusion.

(5)
Énoncé de l'idée principale du paragraphe - ensuite exemples et preuves.

(6) Exemple : le sport

Introduction : les jeunes s'adonnent volontiers à la pratique d'un sport pour peu qu'ils en aient la possibilité et les adultes les encouragent volontiers dans cette voie. Pourquoi cette unanimité ?

Première partie : il est certain que l'activité sportive peut contribuer efficacement à l'épanouissement physique. Fortifiant le corps et oxygénant les poumons, l'exercice au grand air est un facteur de santé et d'équilibre. La plupart des sports développent également, à des degrés divers, la force, la souplesse et l'endurance. Ainsi la natation met en œuvre toute la musculature du corps, le tennis les bras et les jambes, le cyclisme les jambes surtout. Tous réclament du souffle et fortifient le cœur et la cage thoracique.

Deuxième partie : mais le sport peut également aider à la formation morale des jeunes. Il développe certaines qualités individuelles précieuses comme l'esprit de décision, la maitrise de soi, l'énergie et le goût de la difficulté vaincue.Tout sport d'équipe exige en effet une vision rapide de la situation, des réflexes immédiats. Quant aux sports d'endurance qui imposent à chacun d'aller jusqu'au bout de ses forces, ils sont une admirable école de volonté et de persévérance.

Le sport développe en outre certaines vertus sociales. Ainsi l'acceptation de l'autorité de l'entraineur ou du capïtaine de l'équipe implique l'esprit de discipline. La nécessité dans les sports collectifs de contribuer à sa place à la victoire de tous fortifie ce sens de la solidarité qu'on appelle l'esprit d'équipe.

Conclusion : en somme, si le sport est d'abord vécu par les jeunes comme une distraction active, il n'en est pas moins pour eux un facteur essentiel de formation physique et morale.

(7) Distinguer :
- l'introduction ;
- la conclusion

Introduction : les deux premières phrases

Conclusion : la dernière phrase - trois paragraphes de développement.

(8)

Quelles sont les causes des accidents de la route ? Causes imputables au réseau routier - causes imputables aux véhicules - causes imputables aux conducteurs.

(9) Plan détaillé

1. **Causes imputables au réseau routier**
   - souvent insuffisant, surtout aux heures de pointe
   - comportant des points noirs (croisement dangereux, rétrécissement, virage brutal)
2. **Causes imputables aux véhicules**
   - défaillance mécanique
   - stabilité et capacité de freinage inadaptées aux grandes vitesses
3. **Causes imputables aux conducteurs**
   - non respect du Code de la route (raisons diverses)
   - défaillance momentanée (mauvais réflexe, moment d'inattention)

(10)

Se reporter à l'exemple du chapitre et à l'exemple (6) de ce corrigé.

(11)

Deux paragraphes précédés d'une introduction (première phrase) et suivis d'une conclusion (dernière phrase).

(12)

Deux termes en opposition : espérances, inquiétudes.

(13)

Les progrès réalisés - Les insuffisances et les menaces.

(14)

... toutefois, malgré cela, mais, au contraire, à l'opposé... etc.

(15)

Se reporter aux exemples déjà donnés, soit dans le chapitre, soit dans ce corrigé.

UN NOUVEAU TYPE DE SUJET

(1) La seule manière de bien visiter...

Question 1 :

a) Les investigations sont des recherches suivies, attentives. Il s'agit ici de l'exploration d'une région, de la découverte détaillée de ses richesses touristiques pour laquelle, selon l'auteur, l'automobile est un piètre instrument.

b) Les sauces sophistiquées sont des sauces d'un raffinement et d'une complexité artificiels.

c) Il s'agit d'auberges où tout est faux décor folklorique, en trompe l'œil comme dans un décor d'opéra-comique

d) La finesse d'esprit des paysans, c'est-à-dire leur pénétration, leur subtilité, leur aptitude à saisir les rapports entre les choses, se manifeste souvent dans leur langage pour qui sait y prêter l'oreille.

e) «L'état de réceptivité» se manifeste par une ouverture à tout ce qui nous environne, une disponibilité accueillante de l'esprit.

Question 2 (résumé du texte) :

L'automobile facilite les déplacements mais ne permet pas la découverte réelle d'une région. C'est pourquoi tant de gens voyagent sans profit.

C'est à pied seulement qu'on peut bien visiter certaines régions. D'abord parce que la marche stimule l'esprit et le rend attentif à tout. Ensuite parce qu'elle permet d'entrer en contact intime avec le monde, en montagne surtout. A pied, chaque détail prend toute sa valeur et toute sa beauté. La Nature révèle des aspects inattendus. Mais la vitesse rend tout semblable.

Question 3 :

L'automobile est un des objets symboles de notre société de consommation. Tous l'utilisent, mais certains à regret. Merveilleux instrument de liberté, selon l'opinion de beaucoup, elle est considérée par ses détracteurs comme un véritable fléau contemporain. Qu'en penser ?

Les avantages de l'automobile sont indéniables. Véhicule rapide, elle nous affranchit des distances. Véhicule individuel, elle n'oppose à nos désirs aucune contrainte d'horaire et laisse à chacun la liberté d'aller où il veut et quand il veut. Cette souplesse d'utilisation lui a valu d'être adoptée par les masses. L'homme qui doit aller au travail est libéré, grâce à elle, des servitudes des transports en commun et peut choisir son domicile loin de l'entreprise qui l'occupe. A chaque instant du jour ou de la nuit, elle est immédiatement disponible. Une clé à tourner et la voila partie, comme le tapis volant des contes arabes, vers la destination de notre choix. Sans elle, combien de petits salariés qui ont aujourd'hui visité la France, voire l'Europe, n'auraient peut-être jamais quitté leur ville ou leur village !

L'automobile peut donc être un merveilleux instrument au service de tous, tant pour le travail que pour les loisirs. Pourquoi certains la dénoncent-ils alors comme un fléau ?

C'est d'abord parce qu'elle pose de difficile problèmes à la collectivité. Nombre d'entre eux paraissent insolubles, comme la circulation et le stationnement dans le centre des villes étouffées par le grondement des voitures. D'autres exigent des solutions coûteuses : autoroutes, grands travaux...

L'automobile entraine également des dangers et des nuisances. La pollution qui résulte d'une circulation intense a été maintes fois dénoncée. L'équilibre nerveux peut être compromis par le bruit incessant et multiplié des moteurs, en particulier pour les riverains des grands axes. Plus dramatiquement encore, l'hécatombe des week-ends et des départs en vacances rappelle combien la route est meurtrière.

Ainsi l'automobile, bénie par les uns, décriée par les autres, est pour l'homme contemporain un engin de transport souple et rapide dont l'utilisation massive prend parfois le caractère d'un fléau social.

(2)

L'exemple 1 ci-dessus précise la façon de traiter un tel sujet.

COMMENT EXPLIQUER LE SENS DES MOTS

Notez d'abord 1 ou 2 synonymes	Précisez ensuite le sens du mot dans le contexte.
(1) **Prédominer** signifie être le plus important, prévaloir.	Dans cette région, la plus importante des cultures est donc celle des céréales.
(2) **Est artificiel** ce qui n'est pas naturel.	La publicité, afin de vendre les produits et les services, éveille en nous de faux besoins qui ne répondent à aucune nécessité naturelle.
(3) Une terre **féconde** est une terre fertile, riche, productive.	Par extension, une idée féconde est une idée riche de possibilités et de conséquences, comme celle de la roue qui a eu d'innombrables applications : roues des véhicules, rouages des machines...
(4) Une **cité-dortoir** est une ville où les habitants, travaillant ailleurs, ne viennent que pour dormir.	Il en est ainsi de certaines villes de la banlieue parisienne dont les habitants vont travailler à Paris et qui sont dépourvues d'animation durant la journée.

S'EXERCER A DOMINER UN TEXTE PAR UNE LECTURE ACTIVE

(1)

On a découvert récemment une tribu dont les membres en sont à peine à l'âge de la pierre taillée mais paraissent vivre dans le bonheur.

(2)

Chercher dans le dictionnaire le sens des mots : paléolithique, rudimentaire, anthropologue, déceler, structure sociale.

(3) Reformulation

1 : Les chemins de fer rassemblaient, lors de chaque déplacement, des masses humaines importantes et créaient ainsi une vie collective. L'automobile et le vélomoteur donnant à chacun une totale indépendance à l'égard des autres incitent au contraire à ne songer qu'à soi.
2 : Chaque citoyen a la possibilité, en droit, de parvenir à n'importe quel poste, à n'importe quelle fonction de l'État.
3 : Grâce à la lecture, chacun peut élargir l'horizon de sa vie, découvrir des êtres et des milieux qu'il n'aurait jamais connus autrement, «entrer» dans des personnages de romans et vivre leur existence du dedans.

(4) Des exemples concrets

1 : égaux en droit - chaque citoyen est soumis à la loi au même titre, bénéficiant des mêmes obligations (impôt, service militaire... etc) et des mêmes droits (droit de vote, droit de passer n'importe quel concours... etc).
2 : se transformer sous nos yeux - croissance des villes, création d'autoroutes, vieux quartiers remplacés par des nouveaux, nouveaux moyens de transports, nouvelles machines, nouvelles habitudes de vie... etc.
3 : libertés fondamentales - liberté pour chacun de vivre comme il l'entend, de choisir son métier, d'exprimer son opinion, d'aller où il veut - liberté de la presse, liberté de réunion, liberté de culte... etc.

(5) Les points de repère

La disposition typographique permet de saisir une introduction et trois paragraphes. L'introduction annonce plusieurs sortes de lecture. Le début de chaque paragraphe est une véritable étiquette : lecture-vice, lecture-plaisir, lecture-travail

(6) Texte de Daniel Rops

Idée principale : par l'élimination du travail, notre manière de vivre va se transformer radicalement (2 premières phrases).
Idées complémentaires et exemples :
1 : dans la civilisation de demain, l'homme travaillera de moins en moins.
2 : deux exemples prouvent que la machine est en train de remplacer l'homme.
3 : ce remplacement va se généraliser.

(7) L'idée principale + ce qui s'y rattache

1 : première phrase : idée principale - ensuite exemples.
2 : première phrase : idée principale - deuxième phrase : idée complémentaire qui précise l'idée principale.
3 : l'idée principale est exprimée dans la première phrase. La notion de «formation morale» est ensuite analysée sous ses deux aspects : formation du caractère, apprentissage de la solidarité (un exemple illustre ce second point).

(8) Les adolescents et le sport

Les adolescents aiment le sport. Pourquoi ?

1. C'est un passe-temps facile.
2. C'est une évasion radicale des soucis habituels.
3. C'est un moyen de réaliser son rêve d'épanouissement corporel.

(9) Le journal et son public

Introduction : le journal est à l'image du public.

1. Le public est instable. Pourquoi ?
— difficultés et fatigues de la vie contemporaine
— ceci entraine besoin de «se changer les idées» (cinéma, radio, bruit) et paresse.

2. La presse flatte ces tendances. Comment ?
— facilité : gros titres, images
— changement d'idées : aventure, récits romancés
— curiosité : crimes, drames passionnels.

(10) Notre planète devient-elle inhabitable ?

1. L'homme a maitrisé la nature
— ambition de l'homme depuis 40 000 ans : conquérir la planète
- bilan des victoires : la terre conquise
l'espace abordé

Idée de transition : «victoire trop totale pour être durable».

2. L'homme est en train de tuer la nature
— l'apparition du danger
— bilan des dégâts : défrichements hâtifs.
érosion et destruction du sol... etc.

Conclusion (avec élargissement vers l'avenir) : menaces de mort sur la biosphère.

S'EXERCER AUX DÉMARCHES DE RÉDUCTION D'UN TEXTE

(1) Ce qui peut être supprimé

1 : (le pauvre cher homme) - **2 :** (cet étonnant monstre d'acier) - **3 :** (il est certain que) - **4 :** (par suite de circonstances diverses) - **5 :** (et je n'ai d'ailleurs aucun moyen de le connaitre) - **6 :** (c'est évident) - (il mobilise des foules immenses au cœur de l'été).

(2) Sélectionner les mots-clés

1 : savant - s'interroger - dangers - applications de la science.

2 : grand ensemble - quatre fonctions - loger, occuper, instruire, distraire.

3 : principe de la mode - goût pour le changement.

4 : tout homme de culture traditionnelle - a d'abord - méfiance devant les dernières inventions.

(3) Condenser

1 : elle téléphona - **2 :** en science, les progrès sont incessants - **3 :** il étudia minutieusement la situation - **4 :** chaque jour, les joueurs de l'équipe s'entrainaient - **5 :** il fumait.

(4) Condenser

1 : les menaces de la famine ont été écartées en Occident - **2** : la ville ne peut se suffire à elle-même : ni pour les besoins de ses habitants, ni pour leurs activités - **3** : la télévision nous découvre la diversité du monde et nous incite ainsi à réfléchir.

(5) Résumer

1 : Les heures les plus importantes de ma vie, celles de l'amitié avec les hommes ou avec la nature, ne doivent rien à l'argent.

2 : Les gens qui se sentent confusément des aptitudes pour tout ne réussissent finalement dans aucune activité professionnelle.

3 : La France touristique n'est pas uniquement composée de grands monuments, mais aussi de mille détails pittoresques.

MÉTHODE PRATIQUE POUR RÉSUMER UN TEXTE D'IDÉES OU D'INFORMATIONS

(1) Les voyages à pied

Les voyages à pied sont les plus agréables. Ils nous laissent une liberté totale d'itinéraire et d'observation. Ils nous procurent des plaisirs simples qui nous mettent le cœur en fête. Il faut aller à pied pour faire un vrai voyage.

(2) Le journal et son public

Le journal est à l'image du public. Or, le public, supportant les difficultés et les fatigues de la vie contemporaine, répugne à l'effort intellectuel et veut surtout se changer les idées. La presse flatte donc ce goût par une disposition visuelle frappante et par un contenu où dominent les faits divers et le romanesque.

(3) Notre planète devient-elle inhabitable ?

L'homme s'est efforcé depuis des millénaires de conquérir chaque parcelle de sa planète et de soumettre à sa volonté toutes les espèces animales et toutes les forces de la nature. Mais cette victoire totale fondée sur sa puissance technique entraine aujourd'hui de redoutables conséquences. Par la destruction et la pollution, l'homme est en train de tuer cette nature dont sa vie tout entière dépend.

IMAGINER ET RACONTER POUR LE PLAISIR

Il s'agit là d'incitations à inventer, d'appels à l'imagination individuelle. La part de «trouvailles» de chacun importe plus que le récit achevé. C'est pourquoi nous ne proposons pas de corrigés qui bloqueraient l'invention personnelle.

METTRE EN PLACE LES « ROUAGES » DU RÉCIT

L'exemple de départ (résumé d'un film) constitue à lui seul le corrigé-type. A la moindre hésitation, reportez vous à ce corrigé.

CONSTRUIRE UNE HISTOIRE CLAIRE, LOGIQUE ET VIVANTE

(1)

Voir l'exemple «Renart et les poissons»

(2) Résumer en une phrase

Mais un jour, le Père Tabarlet, en creusant le sol, fait jaillir une source d'eau minérale dont les vertus thérapeutiques attirent bientôt une foule de curistes.

(3) Une situation finale Une action

1 : Situation finale : le petit village connait maintenant une affluence considérable de touristes de toutes nations. **Action :** l'un des sites préhistoriques les plus importants d'Europe y a été découvert.

2 : Situation finale : il ne réapparaitra à son travail, amaigri et épuisé, que huit jours plus tard. **Action :** témoin d'un hold-up à l'instant de prendre sa voiture, il est emmené comme otage par les gangsters.

3 : Situation finale : la salle de bal n'est plus qu'un tas de cendres calcinées. **Action :** un incendie éclate, provoqué par une allumette mal éteinte, et plusieurs danseurs sont brûlés vifs.

(4) Résumer un récit (dessinez les cases)

1 : Situation initiale : en pleine nuit, Véronique rejoint son domicile à travers les bois.

2 : L'action se déclenche : soudain, elle entrevoit une forme sombre qui s'avance vers elle.

3 : L'action se développe : elle court - elle accélère - elle tombe - la bête bondit (terreur).
4 : L'action se dénoue : elle reconnait son chien.
5 : Situation finale : épuisée d'émotion, Véronique arrive chez elle.

(5) Imaginer le contenu des cases vides

A - 2 : mais un jour un homme distingué se présente à la mairie : il est historien et dit avoir découvert traces dans les archives d'un prodigieux trésor qui aurait été caché dans la région au XVe siècle par une troupe de pillards.
3 : tout le village est pris d'une fièvre de recherche : on fouille les puits, le sol des étables - des familles se disputent la possession d'un coin de terre dont personne ne voulait - chaque ruine se vend à prix d'or - personne ne s'occupe plus des récoltes - chacun se méfie de son voisin et le surveille.
4 : un jour l'historien réapparait : il vient de découvrir un nouveau document établissant que le trésor, retrouvé au XVIIIe siècle, a été saisi par les agents du roi.
B - 3 : il ne trouve d'abord aucun indice - puis il découvre un passage secret qui conduit du musée du Louvre à la Seine - seul le Conservateur du musée connaissait ce passage : c'est un homme criblé de dettes - Sherlock Holmes l'amène à avouer qu'il a vendu le secret de ce passage souterrain à un riche Américain qui rêvait de posséder la Joconde.
4 : le Conservateur et le riche Américain sont tous deux arrêtés et la Joconde récupérée.
5 : la Joconde a retrouvé sa place au musée du Louvre.

C - 1 : samedi soir, des couples dansent dans la salle de bal.
2 : soudain, un incendie éclate.
3 : a) on se rue vers la porte : elle est fermée à clé de l'extérieur (affolement) - **b)** on se précipite vers l'unique fenêtre : elle donne sur une cour intérieure qui est elle-même envahie par les flammes (panique) - **c)** on trouve un extincteur : impossible de le faire fonctionner (terreur).
4 : soudain, la porte est enfoncée : les pompiers, appelés par les voisins, surgissent : sauvés ! Mais nul n'a plus envie de danser.

(6) Un récit

A titre d'exemple, «X est dans une situation difficile» : X pourrait être un commerçant en faillite (comment va-t-il trouver l'argent dont il a besoin ?), un homme dans une villa déserte qui entend ses ennemis approcher (comment va-t-il leur échapper ?), un alpiniste tombé dans une crevasse et qui attend du secours, un innocent accusé d'un crime et qui a toutes les apparences contre lui ... etc.

(7)

Exemple d'énigme : voir (5) B.

INVENTER DES PÉRIPÉTIES

(1) Possibilités d'action

A titre d'exemple complémentaire : «le pêcheur et la soucoupe volante» : a) il s'enfuit - b) il se cache et prend une photo - c) il s'avance vers la soucoupe d) il s'évanouit d'émotion - e) il voit des êtres étranges s'approcher de lui - f) il est attiré vers la soucoupe par une force invincible.

(2) Dans une salle de bal

1 : une bande d'énergumènes fait irruption dans la salle - **2 :** un incendie éclate - **3 :** soudain c'est la panne de courant - **4 :** brusquement la police cerne la salle - **5 :** un homme tire un revolver et menace les danseurs - **6 :** un danseur tombe, terrassé par une crise cardiaque... etc.

(3) 1 : Un lion s'échappe
2 : Un chien...

1 : a) il est finalement rattrapé dans la loge d'un concierge où il s'était réfugié, apeuré - **b)** il retourne de lui-même dans sa cage - **c)** il est cerné et abattu par un détachement de police - **d)** il est tué par un chasseur - **e)** il suit paisiblement un tout jeune enfant qui l'emmène chez lui..

2 : a) il meurt d'épuisement sur le seuil de la porte - **b)** il est fêté par tous - **c)** il est écrasé par une voiture à quelques pas de sa maison - **d)** il est chassé par son maitre qui avait fait exprès de le perdre...

(4) La malle

1 : Forces en présence : la volonté de monter la malle - les difficultés de l'escalier.

2 : Péripéties : a) une des poignées se casse : on prend la malle par-dessous -

b) un des porteurs s'écrase le pouce entre la malle et le mur : pansement -

c) un resserrement de l'escalier : la malle ne passe plus. On fait demi-tour et on décide de la hisser avec une corde par la fenêtre.

(5) (6) et **(7)**

Dans ces trois exercices, on s'inspirera de l'exemple d'«une ascension périlleuse» et du corrigé proposé ci-dessus en (4).

ÉVOQUER LES LIEUX ET LES OBJETS : LA DESCRIPTION

I. L'APPROCHE PAR L'IMAGE

3 : Prolongements et exercices supposent des choix essentiellement individuels pour lesquels il n'est pas possible de donner des corrigés.

II. L'APPROCHE PAR LES TEXTES

(1) Un chateau abandonné

1 : La description suit le regard de l'observateur qui se déplace : l'approche du château, les cours et le château vus de l'extérieur, l'intérieur.

2 : détails : cours désertes, fenêtres demi-brisées, chardon, perron solitaire, mousse, pierres disjointes, volets fermés, araignée, couches abandonnées.

(2) Un paysage provençal

1 : devant nous - autour de nous - les terrasses.

2 : les exemples proposés dans l'exercice même et la grille donnée doivent, ici, vous suffire.

(3) Un orage au Hoggar

1 : a) une sourde menace (deux premières lignes) - **b)** les signes précurseurs (1er paragraphe) - **c)** l'éclatement de l'orage («brusquement le vent s'éleva... Nos burnoux furent collés à nos corps ruisselants») - **d)** le déferlement de l'orage («Et c'était, sans interruption,... où les eaux se précipitaient») - **e)** la fin de l'orage.

2 : «soudain un de nos chameaux piaula» : action soudaine et limitée dans le temps.

3 : approche (chameau piaula... légère poussière... vol d'oies...), éclatement (le vent - les ténèbres - un éclair - coup de tonnerre - énormes gouttes), intensification (fracas du tonnerre - écroulements - inondation et déluge).

4 : soudain, brusquement, en même temps, en un clin d'œil, aussitôt...

III UNE MÉTHODE

(1) et (2)

Ces exercices comportent des exemples suffisamment développés et explicites.

(3) Deux exemples complémentaires :

Un feu de bois, c'est pour moi le pétillement des branches qui craquent, l'odeur âcre du bois brûlé et les flammes dansantes aux formes indéfinies - L'été, c'est pour moi la plage brûlante que la mer vient lécher, le soleil haut qui se brise en éclats de lumière dans chaque vague et, au soir tombant, la fraicheur des jardins ou des chemins forestiers.

ÉVOQUER DES PERSONNAGES VIVANTS : LE PORTRAIT

I. L'APPROCHE PAR L'IMAGE

Pas de corrigé.

II. L'APPROCHE PAR LES TEXTES

(2) Le départ en diligence Analyse

1 : Six personnages : gens de villages et paysans normands.

2 : Éléments de caricature qui visent à accentuer les traits dominants - comparaisons : comme les femmes retroussent leurs jupes - pareille à une bique fatiguée - ventre vaste et rond comme une futaille - à la façon d'un rat qui rentre dans son trou - plus lourd qu'un bœuf.

3 : Un exemple : le cocher
— au physique : petit, gros ventre, souple, face rougie, yeux clignotants
— au moral (caractère et habitudes de vie) : habitude d'escalader l'impériale, de la vie au grand air, des petits verres - la plaisanterie facile.

(3) Une vieille servante. Analyse

1 : maintien craintif - se ratatiner

2 : habits : pauvres vêtements, galoches de bois, tablier bleu, béguin, camisole rouge... - **visage :** maigre, plissé de rides, regard pâle - **mains :** longues, noueuses, encroûtées, éraillées, durcies, entrouvertes... - **expression :** craintif, rigidité monacale, rien de triste ou d'attendri, placidité.

3 : attitude de crainte, de timidité, d'humilité.

4 : opposition entre elle et les bourgeois : elle (soumise, écrasée de servitude), les bourgeois (épanouis).

(4) Tartarin de Tarascon

1 : L'appartement est à l'image de l'homme qui l'habite : une apparence de «férocité» (des armes luisantes et innombrables).

2 : impression dominante : un air faussement terrible qui produit un effet comique.

3 : (pas de difficultés)

4 : contraste entre ce que veut paraitre l'homme et certains détails : gros, rougeaud, caleçons de flanelle, petit rentier tarasconnais, bonasse... Ironie de la formule finale à l'exagération volontaire.

III UNE MÉTHODE

(1)

Pas de corrigé.

(2) Exemple : l'orgueil

— **Traits de caractère :** sentiment de sa valeur, mépris pour les autres, besoin de prouver sa supériorité...

— **Attitudes et silhouette :** se pavaner, plastronner, bomber le torse, regarder les autres de toute sa hauteur, se donner en spectacle.

— **Expression du visage :** air méprisant, la mine avantageuse, une moue de dédain, un regard qui vous ignore...

— **Paroles :** «moi, je... en toute modestie, je sais ce que je vaux... croyez-moi, quand je m'occupe de quelque chose...»
— **Actes et gestes :** le geste théâtral, la voix sonore.

(3) Exemple : un distrait

Voir Ménalque - exercice 4.

(4) et (5)

Pas de corrigés, les exemples étant suffisamment développés.

ENQUÊTES, TRAVAUX ET RECHERCHES

PAS DE CORRIGÉS : L'aboutissement de ces travaux et de ces recherches dépend des aspects variables de la réalité humaine, sociale et économique qu'il s'agit de découvrir.

Imprimé par CLERC S.A. - 18200 Saint-Amand-Montrond - Tél. : 48-96-41-50
Dépôt légal Imprimeur n° 4684 - Août 1991